もう怒らない！

これだけで子どもが変わる 魔法の“ひと言”

学陽書房

はじめに

あなたは今日、子どもを怒りましたか？

ついついどなってしまうことはありませんか？

その時、どんなことばを使っていますか？

――私はおこりんぼうのお母さんでした。


「早く！」

「なんでそんなことするの！」

「だめだめ！」

「もお、あんたって子は！」

いつもそんなふうに怒ってばかり。本当は、にこにこやさしいお母さんになる予定でした（笑）。幼稚園の先生だったので、子どものことはなんでもわかっているつもりでいたからです。

ところが、ふたを開けてみたらどうでしょう。一歳十か月違いのノンとダイに振り回されっぱなし。かんしゃくを起こすダイにいらいら。次々と散らばるおもちゃにくらくら。一日何度もおこる姉弟げんかにむかむか。気がつくと、朝から晩まで声を張り上げる日々。

「あ～あ、こんなはずじゃなかったのに」

「怒ってばかりでごめんね」

涙の跡が残る寝顔に謝る夜も数知れず。ほかのお母さんがみんな、余裕があって子育て上手に見えました。自分だけがだめなお母さんに感じられました。

「じゃあ、ほかのお母さんと私は、なにが違うの？」

そんな目で観察してみると、あるわあるわ。表情、しぐさ、態度に髪型（？）、うまくいっているお母さんと私には、たくさんの違いがありました。なかでも「これは！」という、決定的な違いを発見したのです！　なんだと思いますか。

それが「ことば」でした。

ある時、こんなことがありました。ノンが友だちと遊んでいて転んで泣きました。私は駆け寄って言いました。

「だから走らないでって言ったでしょ！」

そう言われて、ノンはどうしたでしょうか。お察しの通りです。ますます泣きました。ところがです。一緒にいた友だちのママが、ノンにやさしく言ったのです。

「痛いねぇ」

それもとっても「痛いねぇ」の顔をして。すると、どうでしょう。ノンはこくんとうなずき、涙ふきふき。

「うん、すっっっごくいたかったにょ」

そう言い終えるか終えないかのうちに、最高の笑顔で遊びに戻っていったのでした。私はその様子を、ぽか~んと口を開けて見ていました。

これはいったいどうしたことでしょう。ノンになにが起こったのでしょう。

私はトゲのあることばで、「膝っこぞうの痛み」に「心の痛み」を加えてしまった。あのママは「痛いねぇ」とたった〝ひと言〟共感することで、膝の痛みまで減らしてしまった。

私はこの一件に、「ことばって魔法みたい！」と感激しました。

「すごいことを知ってしまった」

「子どもって、ことばひとつで、たったひと言で、こんなに変わるんだ！」

真っ暗なトンネルの中で「ぴかーん」、光が見えた瞬間でした。

それからです、「ことば」に注目し始めたのは。その後、自宅で開くことになった子育てサロン(*)を訪れるお母さんのことば、町の中でふと耳にすることば、それから子ども同士の会話にも。そして「いいな」と思ったものをすぐに実践してみました。それは本当に「ひと言」であったり、同じことを伝えるのでも言い回しが違っていたり、はたまたまったく同じことばなのにニュアンスが違っていたり。

その結果、前よりずっと怒る回数が減りました。

子どもといて、心穏やかに過ごせる時間が増えました。

なにより子どもの、そして私の笑顔が増えました。

今だってまだまだ「いいお母さん」には達していません。「また怒っちゃった」と反省することもありますし、「お母さん、その顔こわい」とダメ出しされることもあります。それでも、ほんの少しことばを変えたことで、私も子どもも確実に変わりました。「お母さん大好き」と言ってもらえる回数も増えました。子育てがラクに楽しくなりました。


この本には、私が試してうまくいった方法をご紹介しています。

たったひと言、ことばを変えることで子どもが変わったら、ラクちんだと思いませんか？

それで幸せな子育てができたら、得した気分になりませんか？

「日本中に子どもたちの笑顔があふれたら、どんなにいいだろう！

あのひと言で、ノンが最高の笑顔になったように」

そう願って、この本を書きました。

人は気づいた時から変われる。そう信じています。あなたも気づいた「今」がスタートです。

お好きなものから試してください。なかよし親子目指して、一緒に進んでまいりましょう。

＊親子の集いの場「陽だまりサロン」を運営。

CONTENTS

Chapter 3 「ちゃんと見てるよ」愛情がふわり、まいつもることば

Chapter 4 「いつでもあなたの味方だよ」子どものやる気をぐんぐん引き出すことば

Chapter

1

「毎日、同じことの繰り返し……」

そんなため息から解放されることば

こんなに簡単！子どもが落ち着いて取り組めることば

「早く」を「ゆっくり」にチェンジ！

「早く」じゃあせる

「早く早く」

「ねえまだ？　早くしてよぉ」

「早く」ということば、あなたは一日何回子どもに使っていますか。

「一日って言われてもねぇ」とお困りの方もいらっしゃることでしょう。私もです。

では、時間を限定して。たとえば子どもが起きてから出かけるまではいかがでしょう。

小学生なら登校するまで、幼稚園・保育園なら登園するまでで考えてみましょう。うちならだいたい小一時間くらいです。それより小さいお子さんならば、お母さんと朝一番でスーパーに行くまでとしましょうか。その間、何度「早く」と言うでしょうか。

「早く起きて」
「早く着替えて」

「早くごはん食べて」

「早く早く」

数え上げたらきりがありません。


子どもが小さい頃は、「早く」で泣かせてしまうこともありました。

たとえば、外に出るためノンが靴をはく時です。私がはかせてやればすぐにできるのですが、「じぶんで」とはきたがります。そんな時期、ありますよね。やらせていると、かかとが入らなかったり、靴がひっくり返ったりでなかなかはかどりません。見ていると、じれったくなってきます。

それで、つい言ってしまいます。

「早くはいて」

「まだなの？　早くしてくれる？」といった具合に。

「早く」と言うと、あせるのでしょう。ますます手元がおぼつかなくなるのです。しかもそのうち「もお。置いてくよ！」なんてすごまれて。気持ちはあせるし、視界は涙でにじんでいきます。ふと見上げると、母は鬼の形相。

「おかあしゃん、こわい」

しまいには、手が止まるのでした。あ～あ、これでは悪循環です。

子どもがもっと落ち着いて取り組めることばって、なかったのでしょうか。

「ゆっくり」がいいみたい

ありました、ありました。「早く」に変わることばが。

「な～んだ、そんなことでいいの？」

あまりの簡潔さに、あごが外れそうでした。

でもね、とお～っても奥深くも感じたのでした。


このことばには、ノンが小学校も高学年になってから出合いました。ですから、もうすっかり自分で靴がはけるようになってからです。

「もっと早く知りたかったよぉぉぉ」

本気でじだんだ踏みました。

陽だまりサロンに来た親子が帰ろうとした時のこと。そのことばがふんわり心地よく、私の耳に届きました。

「ゆっくりでいいよ」

子どもは安心して、本当にゆっくりゆっくり靴をはきました。それを見守る母親の顔は、やわらかな微笑みをたたえ、慈愛に満ちていました。

「美しいな」

心からそう思いました。鬼の形相の私とは大違いであります。

少しして、その子は靴をはいて立ち上がりました。「ひとりではけた」満足感は、子どもに確かな自信を与えたようです。心の底からニカッと笑い、私に「ばいばい」をしました。しゃがんで「ばいばい、またね」と応えながらも、車まで見送ります。

駐車場につながる道は、ゆるやかな下り坂です。大人にとってはなんでもない傾斜も、子どもにとっては「難所」です。そこでも、お母さんは言いました。

「ゆっくりでいいよ」

車に乗りこむ時も、ドアを閉める時も「ゆっくりね」「ゆっくりだよ」。それが、子どもの背中をそおーっと押します。

「ゆっくり」というリズムのせいでしょうか。それを言う時の空気感や表情も、なんだかゆっくりゆったりなんです。

その光景を見てからです。私も彼女をまねて「ゆっくり」と言うようになったのは。そう話す私は、以前よりもずっと穏やか、凪の海のよう。「早く」ということばには「あせらせないで！」と怒っていたノンも、「ゆっくり」だと落ち着いて取り組めるようです。だからといって、かかる時間が長くなるということもなく、同じくらいか、かえって早くなることもあります。

ことばって不思議ですね。

そうそう、子どもが「時計の読み方」を習ってからは、「早く」をこんなふうにも変えました。
・「六時だよ」↑起きる時間
・「七時だよ」↑登校十分前
「それだけ？」と問われると、ホントにそれだけです（赤面）。
穏やかな気持ちで声をかけると、敵も、いえ子どもも穏やかに受け止めてくれますよ。

Point!

「ゆっくり」がいいみたい

・「早く」じゃあせる
・「ゆっくり」が子どもの背中をそおーっと押す
・「ひとりでできた」が自信になる
・「六時だよ」と事実だけを伝える

子どもがさくっと「ばいばい」できることば

「帰るよ」を「だんだん帰るよ」にチェンジ！

「帰るよ」だけでは帰れない

あなたのお子さんは、「帰るよ」と告げると、あっさり応じてくれますか？ さくっと「ばいばい」して、その場をあとにできますか？

「帰る」という、たったそれだけのこと。それがこんなに「大事業」だとは、親になってはじめて知りました。

からすが鳴いても、薄暗くなっても。洗濯物を取り込みたくても、ごはんのスイッチを入れたくても。子どもはそんなのおかまいなしです。
「置いてくよ」「もう知らないからね」。そんな薄情なことも言いましたっけ。

「さあ帰るよ」
「やだ」
五分経過。
「もう帰るよ」

「や～だもん」

「あのね、お母さんは、帰ってやることがいっぱいあるの」

「やだ～。まだあそぶぅ!!」

こんな状況、あなたも経験ありますよね。私もしょっちゅうでした。「このままじゃあ、日が暮れる」と思っているうちに、とっぷり暮れた日もありました。

遊びたくて半狂乱のノンを、よっこらしょでラグビー抱っこ。片手にノンで片手に三輪車。さらうように連れ帰ります。大泣きするノンを抱えていて、「うるさい！」と道行くおじさんに叫ばれたこともあります。

やっとこ帰ってノンをおろしても、「うわ～ん、もっとあそぶ～！」。まだあきらめがつきません。

泣き続けるノンにしがみつかれながら、洗濯物を取り込み、ごはんのスイッチを入れ……。こんな時、私はどうしても「ごめんね、もっと遊びたかったね」なんて、しおらしくなれませんでした。泣く子につられて一緒に涙。

「泣かないでよ～」

「もお～、あのおじさん、なんなのよー。うるさいのはそっちでしょーがぁ」

子ども以上に興奮する母でした。

そんな日のごはんは、ちょっぴり涙の味がしたかもしれません。

はあ〜。もっとすんなり帰れる策はなかったのでしょうか。

「だんだん帰るよ」で準備ＯＫ

陽だまりサロンには、毎回六組前後の親子連れが遊びに来てくれます。

お母さんたちは、子どもを見守りながら、お茶を飲んだり、おしゃべりをしたり。思い思いに過ごします。そして当然、来た数の人が帰っていきます。

それを見ていると、あの日の私を思い出します。

「帰ろう」

「まだ」

「帰るよ」

「や〜だもん」

やはり、そんなやりとりが多いです。

そんな中、「これは！」と膝を打つことばに出合いました。

「だんだん帰るよ」

これが、日本語として正しいのかどうかはわかりません。それでも、私はこれを聞いて感動しました。「なんて子どもの心理を突いたことばなんだ」と。

その子は、同年代の子どもたちの中でも、ひときわやんちゃでした。

体格もよくて、いつも実際の年齢より上に見られる男の子です。体も大きければ、声も大きく力も強い。大人がおしゃべりをしていると「うるさーい！」と話しをさえぎります。おもちゃの取り合いになると、声も力も一人勝ちです。

お母さんも我が子にほんろうされて、くたくたになっている感じが見て取れました。ですから「帰る時も、こりゃ大変だろうな」と思っていたのです。

そんな矢先でした、このことばが出たのは。

「だんだん帰るよ」

お母さんが決めている「帰る時間」の二十分ほど前だったと思います。言われた子どもは、それにはなんの反応も示さずに遊び続けていました。

でも、聞こえていたのでしょうね。少したって友だちに「だんだんかえるから」と言いました。


十分ほどしてもう一度、お母さんが「だんだん帰るよ」を繰り返しました。

すると遊んでいた車をひとつ、おもちゃ箱に戻しました。

読みかけの絵本にさっと目を通し、ぱたんと棚に戻しました。

「心の準備がととのう」とでもいうのでしょうか。時間をかけて、自分なりに遊びを終わらせていったのです。

そうしてするり、「ばいばい」と帰っていきました。

「心の準備がととのった子どもは、こうも穏やかに帰ることができるんだ」

それを目の当たりにした出来事でした。

Point!

「だんだん帰るよ」で準備OK

- 「帰るよ」だけでは日が暮れる
- 予定の二十分前に「だんだん帰るよ」
- 十分前にもう一度
- 「だんだん」心の準備がととのう

「今忙しいの～」って時子どもが安心して待てることば

「あとで」を「○時になったら」にチェンジ！

「あとで」っていつなのさ

「お母さん、えほんよんで」

「あとでね」

「お母さん、このしゅくだいおしえて」

「今忙しいから、あとにして」

私たちは、なにげなく「あとで」を使います。

便利なことばではありますが、言われた側はどう感じるでしょうか。

「あとで」って、どのくらいあとなんでしょう。
一分後も「あと」だけど、五年後だって「あと」なわけで。

こう言われた子どもは、きっと思います。
「どのくらいでよんでくれるのかな」

「いつおしえてくれるんだろう」

「あとで」を信じて、今か今かとうずうずしています。

けれど往々にして、親が言う「あとで」と子どもが感じる「あとで」にはズレがあります。子どもは「五分くらいかな（わくわく）」と思っているかもしれません。けれどあなたは、三十分あとをめどにしているかもしれません。すると「まだ～？」「もうちょっとね」。「まだ～？」「あとでって言ったでしょ！」なんて、けんか腰になったりして。

これは、逆の立場になるとよくわかります。

ある晴れた日曜日、あなたはだんな様にお願いしたとします。

「ねえ、芝生に水あげてくれる？」

「あとでね」

水をあげるのは、お日様が高くなる前がいいです。気温が上がってからでは、根っこが焼けてしまいます。

あなたは掃除に洗濯、朝ご飯の片付けとやることがてんこ盛りです。だんな様は新聞を読みながら、ぶい～んぶい～んとのんきにひげ剃り。十分、二十分、時計の針は刻々と刻まれていきます。時間がたつにつれて、日が高くなるにつれて、あなたの怒りのボルテージも上がってきます。


「もお〜！　あとって、いつなのよぉぉぉ！」

「あとで」って、どのくらいあとなんでしょうね？

あいまいだから、ストレスになります。

自分のことは棚に上げ、ホント、はっきりしてほしいです。

はっきりくっきり目安を示す

「はっきりしてほしい」

これが待つ身の望みです。

はっきりさえしてくれれば、人はあんがい安心して待てるもの。

カップラーメンの「三分間待つのだよ」は、「三分」と時間が明確だから待てるのです。

これが「お湯を入れたら、ぼちぼちどうぞ」では、なんだか落ち着きません。

目安がほしいです。

「目安をわかりやすく示す」。これ、ポイントです。

「お皿を洗い終わってからね」

「洗濯機を回してからね」

「時計の長い針が2になったらね」

小さな子どもに対してならば、こういった感じが伝わりやすいでしょう。

また、時計を読めるようになれば「三時になったらね」といった具合に。

このように、目安がはっきりわかると、やきもきせずに待つことができます。

ここで私の失敗談を二つほど。

その一。

今を基準にしての「○分後」は混乱を招きます。

子どもって細かいです。私がおおざっぱなだけかもしれませんが（笑）。二時四十七分に言った「十分後」は、私にとっては「三時」を指します。ですが、子どもにとっては「二時五十七分」を指します。微妙な違いですが、話しが食い違ってきます。

それに適当に「十分たったらね」と言って、じつはスタートの時間を確認していないこともあります。すると「お母さん、やくそくの時間だよ」「え、まだじゃないの」と言い合いになります。

ですので「○分後」より「△分に」とする方が、すれ違いがなくていいみたいです。

失敗談その二。

作業が終わる目安は、おおよそでしかわかりません。

「お皿を洗い終わってからね」

「何時ころ？」

「う〜ん、一時かな」

こんな時、待っている子どもの気持ちを思って、短めの時間を告げることがあります。でも実際には終わらず、時間が来ても「ごめん、もう少し待って」となることが度々でした。
それでがっかりさせることが続いたある日、はじめから多めに時間を見積もって伝えました。そして「早く終わったよ」と言うと、「やったー！」と大喜びしてくれるのでした。

「目安をはっきり示す」

これで安心して待っていられます。

Point!

はっきりくっきり目安を示す

- 「あとで」じゃ、わからない
- 目安を具体的に示す
- 「お皿を洗い終わってから」「三時に」など
- かかる時間は多めに見積もる

子どもを成功に導くちょっとしたことば

「マイナスの暗示」を「プラスの暗示」にチェンジ！

「こぼさないで」で水びたし

子どもがコップで水を運ぶ時。

カラのさかずきに、お銚子を傾けてくれる時。

ついつい、私は先回りして声をかけます。

「こぼさないで」

だって、「酒の一滴・血の一滴」ですもの（↑話が違う）。

なのに。せっかく、わざわざ、くれぐれも注意したのに。やってくれるんですよね、子どもって。

これはいったい、なぜなんでしょう。

人は言われたことをイメージします。試しにちょっと実験です。

「レモンを想像しないでください。

黄色くて酸っぱくて、口に含むとじゅわーっと唾液が広がるあのレモンです。

レモンだけは、絶対想像しないでくださいよっ！」

いかがでしょう。「想像しないで」と言われたにもかかわらず、思い浮かべたのではないでしょうか。ついでに唾液も出たのではありませんか。なにも言われなければ、レモンの「レ」の字も思い浮かばなかったのに。

これと同じです。「こぼさないで」は、こぼす様子を思い起こさせます。注意しているつもりが、かえって子どもに意識させることになります。

子どもの頭の中には、こぼして水びたしになる様子が浮かびます。母が「酒の一滴・血の一滴」と目をむく様が浮かびます。

ホラーですね。

「思考は現実化する」と言われます。

言われた子どもは予言（？）通り、イメージした通り、それを実現していきます。「こぼさないで」が「こぼれる可能性もある」ことに気づかせてしまいます。そんなこと、これっぽっちも考えていなかったのに、です。

そしてそれが、マイナスの暗示となります。「こぼすかもしれない」という気持ちが、本当にその方向に導いてしまうようなのです。

私がせっかく、わざわざ、くれぐれも発した注意が、あだになるのです。

これと同じような例に、次のようなものがあります。

「騒がないで」

「走らないで」

「近づかないで」

騒ぐ様子、走る様子、近づく様子が目に浮かびませんか。

では、それに変わることばはなんでしょう。

「そお〜っと」でうまくいく

あなたは今、さかずきに並々とお酒をつがれ、口元までそれを持って行こうとしています。

表面張力が働き、水面が盛り上がるのを見て、そっとつぶやきます。

「ああ、幸せ」

少しでも傾けたら、どっとこぼれてしまいそうなほどです。

こんな時あなたなら、どう声をかけられたいですか（私なら、ほっといてほしいけど）。

こんな感じではありませんか？

ね、たぷたぷにそそがれたさかずきを口に運ぶ時「そお〜っと」と、そお〜っと言われたらどうでしょう。
「いい人だわ」と思いませんか。
こちらもその音量やことばに促され、細心の注意でことを運ぶことでしょう。

逆に「こぼさないで！」と叫ばれたら、びくっとして落としてしまいそうです。

子どもも同じです。

あなたのお子さんが、「そお～っと」と言われたらどうでしょう？　素直な子どものことです、額面通りそお～っと、そお～っとすることでしょう。

「そお～っと」を体に心に言い聞かせて動けば、「こぼさないで」より、ずっといい結果を生み出します。「そお～っとやればいいんだ」とプラスの暗示になるからです。

「しないで」は、思考の回り道です。

いったんこぼす場面を頭に描き、それをしないように思い直す。

いったんレモンを思い浮かべ、「想像しちゃいけない」と打ち消す。

それってなんだか面倒だし、子どもにとっては至難のワザかもしれません。

それならば、最初から「そお～っと」と言った方が、すっきりストレートではないでしょうか。

「騒がないで」は「静かに」。

「走らないで」は「歩いて」。

「近づかないで」なら「離れてて」。

こんなふうに言えたなら、自分も子どもも心静かに目の前のことに対処できるようになりますよ。

Point!

「プラスの暗示」でうまくいく

・「こぼさないで」はこぼす様子を連想させる
・「そお〜っと」で慎重に行動できる
・「静かに」「歩いて」でストレートに伝わる

Chapter

2

「何度言ったらわかるの！」

そんなイライラから一歩抜け出すことば

「何をすればよいか」子どもが自分で考え始めることば

「なんで」を「どうする？」にチェンジ！

「なんで」じゃ前に進まない

「なんでそんなことするの！」

「なんでこんなこともできないの！」

子育てによく使われる、この「なんで」。

私は口ぐせみたいによく言っていました。あなたはいかがですか。どんなときに使っていますか。私は、こんな場面で使っていました。

なんで「なんで」と言っちゃうのでしょう（笑）。

「どうしてこんなことしたの、まったくモ〜！」。

そんな気持ちが入っています、私の場合。

「なんで」「どうして」は英語に直すと「Ｗｈｙ」。理由を尋ねる疑問詞です。これ、あなたが尋ねられたらどうですか。

たとえばあなたが、お茶碗を落として割ったとします。そんな時「なんで割ったの？」と聞かれたら？

「そう言われても……」と思いませんか。好きで割ったわけじゃなし。第一、落とした理由なんて、本人だってわかりません。

「だって手がすべったから」

「だって熱かったんだもの」

「だって」「だって」と自分をかばうのに必死になりそうです。


それに、「なんで」を口にする時は、怒りがこめられていることが多いように思います。私はこれを言う際たぶん、おでこに「💢」が浮き出ています。質問と見せかけてじつは、相手に嫌悪感と憤りをぶつけているのです。大人げないですね、私。

「なんで」は、このように相手をこわがらせたあげく、言い訳を誘います。しかも自分で言い訳を誘発しておいて言う、次なることばは。

「だってじゃありません！」

「言い訳するな！」

冷静に考えると、穴を掘って入りたくなります。

これではなんの解決にもなりません。
堂々めぐりになるだけです。
では、「なんで」に変わることばとは?
ご一緒に探してみましょう。

「どうする?」が次の行動を引き出す

「なんで」は疑問の形をとりながら、じつは相手を脅しています。言われた側はなんとかその場を取り繕おうと、言い訳探しに走ります。

高校の時に遅刻し「なんで遅れたんだ!」と叱られたことがあります。とっさに出たことばは、なんだと思います?

「向かい風でした」

先生の怒りを増殖させ、廊下に立ったあの日が忘れられません。

では、「なんで」に変わるひと言はなんでしょう。

ある日、また牛乳をこぼしたノンに、こんなことばを試してみました。

あっ
ぱしゃ～ん
あっ
ありゃりゃ～
さ、このあとどうする？
わかった人は手をあげて
How?
う～む
え－とう～んと
ほうきではく！
コップにもどす！
そのままかわかすとか
すまんがコップくんそこはぐっとこらえて
ね～早く
そっか！ふけばいいんだ
これからはあんしんしてこぼせるねぇ
こらこら

このことばは、子育て上手な友人の受け売りです。

「さあ、どうする？」

そう言われ、二人はどうしたでしょうか。まんがを見ればおわかりですね。そうです、二人揃ってふきんを持ってきました。そして拭いたのです！　から拭きだったので広がっただけですが。それでも「なんで」の時とは大違いでしょう？

この違いはなんだと思いますか。

そう、疑問詞を変えたのです。

「なんで」を「どう」に変えました。英語にするなら「Ｗｈｙ」を「Ｈｏｗ」に変えたことになります。「Ｈｏｗ」は「Ｈｏｗ ｔｏ」に代表されるように、方法を尋ねる疑問詞です。

「どうしたらいいかな？」

「どうすればできると思う？」

「どんな方法があるでしょう？」

こんなふうに尋ねられたらいかがでしょうか。「これから、なにをすればいいか」を考えますよね。

これです！「Ｈｏｗ」で質問されると、子どもも自分のとるべき行動を考えます。小さな脳みそをフル回転させて。それがたとえ牛乳を広げるだけだとしてもです。

あなたがなにかで遅刻して「今度からどうしたらいい？」と言われたら、いかがですか。これからの遅刻対策を考えませんか。目覚まし時計の音を大きくする。家を出るのを十分早める。追い風に乗る、というのもありでしょうか（笑）。その案が功を奏したら、それからは遅刻しないはずです、たぶん。ね、この方が「なんで遅れたんだ！」とどなられるより、よっぽど考えが前向きになると思いませんか。

「なんで」は言い訳を誘います。

ですが「どうする?」の質問は、行動を引き出すアイディアスイッチです!

子どもが靴を左右反対にはいた時、靴下のかかとが上になっちゃった時、おもちゃの取り合いになった時、大いに活用してください。


Point!

「どうする?」が次の行動を引き出す

- 「なんで」じゃ前に進まない
- 「なんで」は言い訳誘発剤
- 「これから」に意識を向ける「どうする?」
- 「どうする?」はアイディアスイッチ

急がば回れ！ 子どもの要求と上手に向き合えることば

「だめ」を「そう」にチェンジ！

「だめ」では話がこじれる

あなたの家では、アイスはおやつですか。
それともデザートですか。
わが家では、アイスはおやつです。
ですが、ばあちゃんちではデザートです。
その違いが、こんな悲劇（？）を生みました。

アイスひとつでこの騒ぎです。このとき、ダイは言いました。

「だれがアイスはおやつって決めたのさ！　何時何分何十秒？　ちきゅうが何回まわったころ？」

そんなこと、知ったこっちゃありません。熱くなると、売り言葉に買い言葉。ダイも私も引きません。

「いちごアイス出せえ！」

「お店に返してきたぁぁぁ！」

「アイスぅぅぅ」

「だあめぇぇぇ」

しまいには取っ組み合いになって、青タン（アザ）ができることもしばしば。

うぅ、こんな日を何度繰り返したかわかりません。

なぜ、こんなことになるのでしょうか。


理由はどうやら「だめ」ということばにあるようです。

たとえばです。あなたが、ひとりで旅に出たいなぁと妄想したとします。でも、子どもがまだ小さいので難しいのはわかっています。トイレにだって付いてくるくらいだし、夜はお母さんなしでは不安でたまらないみたい。

「やっぱり今は、ひとり旅なんて夢のまた夢よね～」

けれども夢は夢として、夢見るまなざしでだんな様につぶやいたとします。

「ひとり旅に行きたいな」

この時、すかさず「だめ！」と言われたらどうでしょう。

おまけにこんなふうに言われたら？

「なに言ってんだ？　おまえには子育てがあるだろう。

子どもを置いていくのか。

それでも母親か！」

私なら、ぶちっと血管が切れるかもしれません。

こんな時、どう受け止めてもらえたらいいでしょう。

「そう」で着地成功

ひとり旅が現時点で難しいことはわかっています。自分でもわかっているのです。それでも聞いてほしい。

そんなことってありませんか。


「聞いてほしい」

そう、ここがポイントです。

子どももどうやら、そうみたいです。

私もこんなふうにことばを変えたら、すんなりコトがおさまりました。

人は最初から否定されると、それだけで反発します。第一声から「だめ」と言われると、悲しくなります。

「なんでわかってくれないの！」

「聞いてくれたっていいでしょ！」

人はただ聞いてもらいたいだけなのです。実際にできるかどうかなんて、二の次でいいから。

「ひとり旅がしたい」

これも気持ちを受け止めてもらえたら、それだけでほっとします。「そう、ひとり旅がしたいんだね」と。行かれるかどうかは別にして、それでもなんだかほっとするのです。

あのアイス事件は、「そう」という「いったん受け止め」テクニックで一件落着しました。

「ごちそうさま！　アイス食べる」

「そう、アイスが食べたいの」

「うん、ぼくね、アイスだ～いすきなんだぁ」

「そっか、アイスが大好きなんだ」

こんなふうに「いったん受け止め」をすることで、子どもも「わかってもらえた」と安心するのでしょう。「じゃあ、おやつの時間になったらおしえてね」と、さっさと次の遊びに移るようになりました。そりゃあもう、あっけないくらいに。

「おもちゃかって～！」

「ようちえんいかない～」

「ドラえもんがほしい～」

子どもとの生活では、「だめ」「なに言ってるの」と言いたくなる場面がたくさんあります。

私もドラえもんはほしいですが（笑）。

こんな時、試しに「そう」といったん受け止めてみてください。賛成するでもなく、反対するでもなく。ただ、「あなたはそう思っているのね」というスタンスで。

子どもだって本当は、それができるかできないか、なんとなくわかっているみたいです。聞いてもらって整理して、それではじめて着地できるようですよ。

Point!

「そう」で着地成功

- 「だめ」では話がこじれる
- 人はただ「聞いてほしい」と思っている
- 「そう」でいったん受け止める
- 「そう思っているのね」のスタンスで

マナーが身につく！　みんなが気持ちよく過ごせることば

「人が見ているからやめなさい」を「気をつけることは？」にチェンジ！

誰も見ていなきゃいいのかな？

めずらしく列車に乗った時のことです。

向かいに二、三歳の男の子を連れたお母さんが座っていました。

列車がはじめてなのでしょうか、男の子は嬉しくてしかたがない様子。その子は靴のままシートに上がり、窓の外を見ようとしました。

あなたならこの子になんと声をかけますか？　そのお母さんは、こう言いました。

「あのおばちゃんが見ているからやめなさい」

あなたは、このことばをどう感じますか？

私はガクゼンとしました。なぜなら、周辺にいたのはみんな男性だったからです。

「おばちゃんって、わたしのことかい？　許さん！」（↑そこか？）

まあ、そんな私情はすっきり忘れて。この言い方にはいくつか問題があります。

・人のせいにしていること

・ほかの教え方があること
・私はおばちゃんではないこと（忘れてないじゃん）
わたしたちは子どもになにかをやめさせたい時、次のように言うことがあります。

「人が見ているから」

「こわいおじさんに怒られるから」

「そんなことしたら、おまわりさんが来るよ」

誰かが見ているからやめるのでしょうか。怒られたらこわいから、がまんするのでしょうか。人をダシにするのが妥当でしょうか。

やめる理由は「人が見ているから」「怒られるから」ではありません。これでは「誰もいない時ならやってもいい」と、曲げて解釈されるかもしれません。


実家に帰り、夕方子どもたちとお風呂に入った時のことです。一足早くノンとダイが上がり、私は少ししてから脱衣所で体を拭いていました。すると、居間からこんな会話が聞こえてきました。

「ばあちゃん、おやつ食べていい？」

「だめ、夕飯前なんだから」

いいぞ、ばあちゃん！　お腹がすいている方が、おいしくごはんが食べられるからね。私はひとりガッツポーズ。けれども、続けてこんな声。

「そんなことしたら、お母さんに怒られるでしょ」。がくっ。

「そうだね。お母さんて、イカルとこわいもんね」。がくがくっ。

まだ湯船につかっていると思われていた私は、脱衣所の戸をガラッと開けて叫びました。

「こらぁぁぁ、こわいとはなんだぁぁぁぁ！」

「ひゃ〜、出た〜！」

まったく、人をなんだと思っているんだか……。

「気をつけることは？」で先手を打つ

なにかをやめさせたくても、人のせいにするのはいけません。私のせいにしないでください、ぷんすかぷん。

では、どうしたらいいでしょう。

子どもにとってのはじめての体験や浅い経験では、あらかじめ予想される出来事があります。電車のシートに靴のまま上がる。これも、予想されることです。

ですので、前もってこんなふうにするといいようです。

「電車に乗ったら気をつけることは？」と言っています。「こんなことが起こりそう」を防ぐため、前もって親子で確認しています。これはトラブル防止策です。

「やかんに触ったら熱い」「柿の木に登ったら折れた」など、「失敗から学ぶ」という考えもあります。ですが、公共の場では「みんなが気持ちよく過ごせるように」したいです。ですから、病院や図書館、スーパーなどに行く際は、前もって約束事を話しておくのがよいでしょう。すると、その場でトラブルにならずにすみます。子どもも叱られずにすみます。私もおばちゃんと呼ばれずにすみます。

あなたも子どもの頃、言われませんでしたか。

「知らない人についてっちゃダメよ」

「しっかり手をつないでいてね」

これもトラブルを防ぐために言ってくれていたのですね。

このように親側から伝えることもできますし、マンガのお母さんみたいに、子どもに考えさせることもできます。時間に余裕がある時は、ぜひ、「気をつけることは？」と子どもに考えさせてください。人は押しつけられるのは嫌ですが、自分から「ハッ」と気づいたことには前向きに取り組めるからです。そしてそのあとに、それが「Ｇｏｏｄ」な理由を示す。この「ハッとしてＧｏｏｄ」作戦が効きます。

ただ、考えさせるのにも限界があります。はじめてのことならなおさらです。想像がつかないからです。

子どもに限らず、新婚旅行での私がそうでした。フィジーの海に入ろうとして、ガイドさんに言われました。「サンゴに気をつけて」。ところが、北国育ちの私には、それがどういう意味なのかわかりません。サンゴにどんな危険があるのか、どう気をつけたらいいのか、皆目見当がつかないのです。わかったのは、サンゴでズリッと足を切ったあとでした。

子どももはじめてのことはわかりません。「電車で気をつけることは？」と言っても「おやつは百円まで！」「ぬいだらせんたくき！」。こんな、とんちんかんな答えが返ってくるかもしれません。そんな時には、クイズ形式です。

「電車ではどうしたらいいかな？　①シートに立つ。②シートに座る。③シートに寝る」

選ばせたあとには、やはり「Ｇｏｏｄ」な理由を話します。「靴のまま上がったら、シートが汚れるからね」と。それでも子どもがあきた時の対策に、バッグに小道具を忍ばせておくといいですよ。ミニ絵本やマスコットが、あなたの力強い味方になってくれますから。

Point!

「気をつけることは？」で先手必勝

- 人のせいにしない
- 自分で「ハッ」と気づかせる
- そのあと「Ｇｏｏｄ」な理由を示す
- 自分も周りも快適に

叱らなくても「次からこうする」がわかることば

「悪い子」を「悪いこと」にチェンジ！

「悪い子」で悪い子になる

「ほめて育てる」のがイマドキ育児の主流のようです。

怒られて育った私としては、大賛成です。だってこわかったんだもん。

でもやはり、自分自身が親になってみると、叱る場面も多々あるものです。加えて、叱り方にも迷ってばかり。

たとえば、子どもが壁に落書きをしたとして、こんな叱り方はどうでしょう。

「壁に落書きするなんて、悪い子ね」と言っています。
これだと、子どもが悪いという意味合いになります。
こう言われた子どもはどう感じるでしょうか。
「自分＝悪い子」という図式になります。

私が小学六年生の頃です。

自他ともに認める運動音痴の運動嫌い。その私が、なぜか地区陸上の長距離選手に選ばれました。練習も嫌で嫌で、「いてて」とおなかが痛いふりをしていました。その時、先生に言われたのです。

「おまえなら走れる」

それで踏ん切りがついたのでしょう。練習も休まず（いや、一度は仮病が通ったような）、本番の日を迎えました。

そして見事一位！　なんて、華々しいことは現実の世界では起こりませんでした。ですが、コーナーでひとり抜いた時の爽快感は忘れられません。

それも、あの時の先生のことばがあったからこそです。

「レッテルを貼る」と言います。

「悪い子」と言われると、「じぶんはわるいこなんだ」と思います。

「走れる」と言われると、そんな気になってきます。

その昔、うちの母は兄の友人A君に「おまえの母ちゃん、若いな」と言われました。それからは、A君が来る時だけは、ばっちりお化粧して若作りしていました。

人は言われたことばを真に受ける、いえ、信じるのです。

応えたくなるのです。
つらぬこうとするのです。
うちの母のように。
それを思えば、叱る際に言うべきことばも変わってきます。
では、どう叱ったらいいのでしょう。

「悪いこと」で次回の行動がわかる

あなたなら、どんなレッテルを貼ってもらいたいですか？
やはり「若い」でしょうか。
「きれい」「いつもにこにこしている」「やさしい」なんていうのも嬉しいですね。
そう言われたら、その人の前ではいつもそうありたいと思います。応えようとします。
だからレッテルは、好ましいものが望ましいです。もちろん、子どもに対してもです。
では、どう叱ったらいいのでしょう。
「人と行為を分ける」がポイントです。

「悪い子ね」では「悪いのは子ども」になっていました。
けれどここでは、「人と行為を分ける」をポイントにして叱り分けています。
「壁に落書きをするのは、悪いことなのよ」と言っています。
「悪いこと」なので「悪いのは行為」になります。
子ども自体が悪いのではありません。

やったその行為が悪いだけです。そこをしっかりと区別してください。

「自分は悪い子」と思うだけでは、なにをどう直せばいいのかわかりません。負のレッテルとなるだけです。

ですが「壁に落書きするのは悪いこと」とわかれば、「今度からやらないぞ」と思えます。次から自分のとる行動がわかります。


さて、子どもが幼い頃、めずらしく気合いを入れて掃除をしたことがあります。サッシのレールを歯ブラシでごしごし。土ぼこりとカビで、歯ブラシはあっという間に真っ黒になりました。

ノンもダイも「おもしろそう」と思ったのでしょう、一緒にやりたがりました。使い古しの歯ブラシをそれぞれにわたして、みんなで磨いて水をぴゅー。

終わったあとの清々しさったら！　あんなに汚かったレールが、チューしたいくらいぴっかぴかです。

「あー、すっきりきれい！」と叫んだ瞬間でした。その「事件」に気づいたのは。

一歳のダイ、真っ黒歯ブラシで歯磨き中。

三歳のノン、同じく真っ黒歯ブラシで白い壁にお絵描き中。目が合うと、ノンは得意げに言いました。

「ねずみさん、じょうずでしょ？」

一瞬、くらっと軽いめまい。やっと出たことばは「落書きは悪いことなのよ」なんてものではありませんでした。さてこの状況で、私はなんと言ったでしょうか。

答えは「……借家なのよ」。

いつだって、育児書通りにはいかないわが家です。

Point!

「悪いこと」で次回の行動がわかる

- レッテルは好ましいものを
- 「人と行為」を分ける
- 「悪い子」で「悪いのは子ども」になる
- 「悪いこと」で「悪いのは行為」になる

「こうしてほしい」が子どもの心に届くことば

「片付けて！」を「まず承認＋片付けて」にチェンジ！

先制パンチは心に痛い

今ごはんを食べようという時に、テーブルの上がおもちゃや宿題、テープや折り紙などでいっぱいなことがあります。そんな時、あなたならどうしますか。私なら、ほえまくります。「片付けて！」と。

先の「だめ」や、あとから出てくる「でも」「しか」。これらは子どもが先に話し、それに応答する際に使います。子どもが先で、大人があとです。

かわって「片付けて！」は大人が先です。それも、いきなりです。そして、少なからず怒りを含んでいます。私はこれを「先制パンチ」と呼んでいます。予告なしで突然「ビシッ！」と入るからです。

ほかにもいろいろな先制パンチがあります。

「ケンカするな！」

「うるさい！」

指しゃぶりをやめられないダイは、いつも「指！」とたしなめられます。

あなたならどうですか？　いきなり先制パンチをくらうと。

たとえば、だんな様が、あなたが作った料理を食べたとたんに「（味が）薄い！」と言ったら……。

まずいなら仕方がないと思います。料理に自信はないし、口に合わないこともあるでしょう。

でも、理屈はそうかもしれませんが、気がおさまりません。

気が強い人なら「なら食べなくていいよ！」と反論しそうです。おとなしい人ならしんみりしちゃうことでしょう。


突然どなられたら、体も心もぎゅっと縮こまります。

気持ちが委縮します。

心が閉じます。

そんな状態で人の話を聞けますか。

相手の言葉を受け入れられますか。

「ああ、そうだね薄いね」と、しょうゆを取りに立てますか。

ガツンと言われた子どもは「はーい」と素直に答える気になるでしょうか。

私ならできません。

子どももきっとできません。

だって、心がかたく閉じるのですから。

かたい心になにを言っても入りません。コンクリートの壁にボールを当てても、ポーンと跳ね返ってくるだけです。それと同じです。

では、どうすれば心がふんわかするでしょうか。

あなたのことばを受け入れてくれるでしょうか。

「まず承認」で心ふんわか

先ほどのお料理の例。

味はどうあれ、まずは作ったこと自体を認めてほしくはありませんか?

「いつも作ってくれて、ありがとう」。そうやって労をねぎらうのが先だと思うのです。

意見を言うなら、そのあとでも遅くありません。「ありがとう」のあとに続く「僕にはちょっと薄味だけど」だったら素直に聞けます。そうしたら、しょうゆと一緒に、お酒も持って来るかもしれません。「熱燗がいい？」とか言いながら（笑）。

「まず承認」

これで心はふんわかです。

ここでお母さんは「いっぱい遊んだね」と話しかけています。散らかったものに気づいてはいるけれど、です。本当は「片付けて」と言ってしまいたいはずです。けれどぐっとこらえて「まず承認」しました。

そのためにいいところ、ほめるところを探しました。そして「いっぱい遊んだね」から話し始めました。

「まず承認」

これが原則です。

これで心はオープンになります。心がやわらかく開かれれば、そのあとのことばがすんなり届きます。無駄な言い争いやすれ違いが少なくなります。


子どもを見ていると、言いたいことってたくさんあります。

「片付けて！」

「なかよくしなさい！」

「もう起きて！」

でも最初にそれを言ったら、相手は心を閉ざしてしまいます。

どんな時にも「まず承認」です。すぐ沸騰して助かるのは瞬間湯沸かし器だけです。あなたは沸かないでください。ちょっと立ち止まって、思いやりのひと言はなにか、いいところはどこかを探しましょう。

子どものよさを見つけるヒケツ。

それは「一瞬でも、目と心を止める（留める）」ことです。

「いっぱい遊んだね。ごはんだから片付けて」

「二人でままごとしていたね。○○ちゃんが泣いてるけど、どうしたのかな」

「○○君、おはよう（「名前を呼ぶ」「あいさつ」も承認です）。朝だよ、起きよう」


まわりくどいようでも遠回りでも、実際はこちらの方がはるかに近道。

相手がオープンマインドになって、穏やかにことが運びます。

世のだんな様、晩酌したいなら「まず承認」ですぞ。

Point!

「まず承認」で心ふんわか

- 心と体をカチコチにする「先制パンチ」
- なにはなくとも「まず承認」
- なんとか見つけて「まず承認」
- 「まず承認」が心を開く

「反応」より「対応」子どものもやもやを取り除くことば

「そんなことくらい」を「どうしたの？」にチェンジ！

「そんなことくらい」なんて言わないで

子どものケンカ、いじけ虫に悔し泣き。これらは子どもと一緒にいると、毎日毎日あることです。よくもまあ、あきずに繰り返すものだと感心するほどです。

そんな時は「また始まった」とうんざりしたり、放っておいたり、どなったり。あなたはどうしていますか？

夫はよく、こんなふうに言います。

「そんなことくらいでケンカするな！」

夫は、ノンとダイがケンカを始めたとたんにそう言います。

なにかで泣き出した時も、ほとんど間髪入れずに言います。

「そんなことくらいでいじけるな！」

それでどうなるか？

たいていケンカや泣きが激しくなります。子どもがばーんと扉を閉めて出て行こうものなら、追いかけてまでどなります。「家が壊れる！」と。

以前目にした雑誌の子育て記事に、ドキッとしたことがあります。「子どもの態度に『反応』してはいけません。『対応』しましょう」

これを読んで自分を振り返りました。私も夫も「反応」型だなあ、と。

私たちは子どもの興奮に一緒に興奮していました。子どもが「ぎゃー」と叫べば「がー」と返していました。反射的にどなっていました。

これでは、焼鳥屋の前を通ると、よだれが出るのと一緒です。単に反応しているだけです。ああ、なんという似たもの夫婦。

それに先ほどの例では、怒るポイントがずれていることにお気づきでしょうか。はじめ「ケンカしたこと」「いじけたこと」を怒り、その後「家が壊れる」になっています。

そしてこれらは、どれも上辺だけを見て言っています。根っこに触れていません。根っこ（原因）を見ずに、葉っぱ（ケンカや泣き、扉ばーん）だけをなんとかしようと思っても、どうにもなりません。

子どもがなんでケンカになったのか、なにが悔しいのか。肝心なのは、そこではないでしょうか。


大人が思う「そんなことくらい」が、子どもにとっては大切なことなのでしょう。

だから、意見がぶつかったのです。ゆずれないから悔しいのです。

それは、分けたえびせんの数が一本違ったことかもしれません。みかんの白いスジスジがうまく取れないことかもしれません。そんなささいに見えることも、子どもには「こだわり」なのでしょう。

どんな時でも、まずは「相手の位置に立つ」。そこがスタートです。

「どうしたの?」で位置につけ

「相手の気持ちになって考えましょう」

「相手の立場に立って行動しましょう」

小学校の道徳で教わりました。けれどこれ、頭では理解できても、なかなか難しいです。大人になっても、いまだに得意でありません。

「相手の思いを、自分も大切にする」

自分の思いも大切にしてほしいから、相手に対してもそうありたいです。それが、みかんのスジスジでも、ね。

そこを押さえると、ケンカした際のことばがけも違ってきます。

落ち着くのを待って、「どうしたの？」と聞いています。
それで「えびせんのかずが少ない」のであれば「そうか、えびせんの数が少ないんだね」と。「ちがうよ、一本先に食べたじゃないか！」なら「そうか、一本先に食べたのか」と、た

だくり返す。そんなふうに、言った言葉をくり返してもらうと、子どもは「ちゃんと聞いてくれている」と安心します（この時、ケンカが再燃しないよう、別々の部屋で聞けたら、なおｇｏｏｄ！）。

ここで子どもが大切にしていることは「えびせんの数」で、これが「原因」です。大人には「そんなこと」ですが、その時の子どもには最重要事項です。

あなたにも「こだわり」ってありませんか？　人から見たら取るに足らないことでも、です。私は三百円均一パックの、肉の重さが気になります。「どれでもいいじゃん」と言われながら、「待って、どれが一番重いか比べるから！」と豚肉の前で殺気立ちます。

そんな時「先行ってるよ」と置いて行かれたらさびしいです。「ぼくも比べるよ」と言ってもらえたら嬉しいです。

それと同じではないでしょうか。

子どもがこだわっている土俵に、まずは一緒に上がりませんか。

同じ位置で子どもの話しを聞きませんか。

相手の思いを大切にしながらていねいに。それだけで、子どもの状態は安定します。解決策を示すのはそのあとです。

親が興奮したら、子どもはますます興奮します。

親が冷静になれば、子どももだんだん冷静になります。火に油をそそいでいるのは、案外、大人のどなり声かもしれません。あなたは「どうしたの?」で、鎮火シートを目指してください。

ダイは漢字の宿題が出ると、一気に荒れます。先生に悪態をつくわ(先生ごめんなさい)、プリントを丸めるわ、えんぴつを折るわ。

はじめはこの状況にほんろうされ、私もわめいていました。

「なにやってんの!」

「先生に謝りなさい!」

取っ組み合いの日々でした。

完全に「反応」していたのです。けれど、状況は変わらないし、疲れるだけ。

また荒れ始めたある日、落ち着いてから近くに行って話しかけました。

「どうしたの?」

「……かんじがわからない」

「そっか、漢字がわからないんだ。どうしたらいい?」

「……お母さんといっしょにやりたい」

それからです。台風が温帯低気圧に変わり、穏やかになっていったのは。
相手の位置に立つことの大切さ。
それを、身をもって知った一件でした。

Point!

「どうしたの？」で位置につけ

- 「そんなこと」でも大切なこと
- 「反応」より「対応」
- まずは相手の位置に立つ
- 「どうしたの？」が鎮火シートとなる

Chapter

3

「ちゃんと見てるよ」

愛情がふわり、
まいつもることば

子どもが「愛されている」と実感できることば

「……（無言）」を「なあに？」にチェンジ！

「……（無言）」は無視に映るかも

ぎえ～！　ママ友だちと話し込んでいたら、ごはんのしたくが遅れちゃった。

なになに？　駅前にスウィーツのお店が開店ですって？

そんなただごとじゃない時（?）、子どもに話しかけられたら、あなたはどうしていますか？

「ねえ、おかあさん、今日わたしね～」

「おかあさん、ドリルのまるつけして」

私はこうなります。

はい、無言になること、多々あります。
忙しい時、真剣な時に話しかけられても答えないことがありまして。とくに、おいしいもの情報となれば……（↑おいおい）。

私たちは日々、いろんな仕事をこなしています。

朝の布団たたみから、夜の寝かしつけまで。いつだっててんてこ舞いです。そんなこんなで、子どもに話しかけられても答えないことがあります。心ならずもそれは、子どもには「無視」に映ることもあるでしょう。

夫に話しかけて、返事がないとむっとします。

「昨日、電気屋さんから連絡がきたよ」

「……」

「『デジカメの修理が終わりました』って」

「……」

「ちょっと、聞いてるの！」

「え？　ずっと聞いてたよ」

まったくです。のれんにうで押しとは、このことです。

そう書こうと思って、はじめ「うでんにのれ押し」と書いてしまいました。間違っても二、三秒気づかなかったくらい、思い返しても腹が立ちます。

聞こえているなら返事くらいしてほしいです。聞いているのか、いないのか。私の声が小さいのか、はたまた夫の機嫌が悪いのか。返事がないと、あれこれせんさくしなければならず、とってもストレスです。しかも、これが日に何度となく繰り返されると、話しかける気すら失せてきます。

子どもに話しかけられて無言のままにしているのも、これと同じかもしれません。

ではそんな時、どうやって対処しましょうか。

「なあに？」気づいた合図送りましょ

いじめで一番つらいことはなんだと思いますか？

私はそれを知って衝撃を受けました。

いじめでもっともこたえるのは、暴力でもない、恐喝でもない。

それは「無視」なのだそうです。

そこにいるのに、いないものとして扱われる。空気のように素通りされる。それが「自分は必要のない人間かもしれない」と、人を傷つけるのだそうです。

話しかけても答えてもらえないのは、想像以上につらいことなのですね。

では、子どもには、どう対していけばいいのでしょう。

「おかあさん」と呼ばれて「なあに？」と答えています。

「なあに」でなくてもいいです。「へい」でも「ほい」でも、なんでも結構。さらにいえば、目を見てにっこりするだけでもいい。

要は「聞こえてるよ」の合図があればいいのです。

ただ、同じ「なあに」でも、そこにトゲがあってはいけません（笑）。

「ったく、このくそ忙しい時に、いったいなんの用？」といった感じなら、答えない方がまだマシです。

あくまでまるく、まろやかに、です。

人は、無視されることに一番傷つきます。

マザーテレサが言っています。

「愛の反対は『憎しみ』ではありません。『無関心』です」と。


では、もっとも嬉しいことはなんでしょう。それはポテトチップスをもらうこと、ではありません（私は嬉しいけど）。

人がもっとも嬉しいこと。

それは、気づいてもらうこと、関心を寄せられることです。

話を聞く。

目が合ったら微笑む。

あいさつする、名前を呼ぶ。

こんなささいなことが、相手にとってはとてつもない喜びなのです。

子どもが「見ててね」を繰り返すのも、関心をもたれる喜びを知っているからなのでしょう。

いつだって「気づいているよ」の合図を送りましょう。
ことばで、態度で、まなざしで。
それでも忙しい時は、「あとでちゃんと聞くからね」でいいのではないでしょうか。
そして、その約束を守れば、子どもも納得してくれますよ。

Point!

「なあに？」気づいた合図送りましょ

・無視がいじめで一番つらい
・無言は無視に映る
・「気づく」「関心を寄せる」で喜び倍増
・ことばで、態度で、まなざしで

励ますよりも効果的！子どもががんばれることば

「がんばれ」を「がんばってるね」にチェンジ！

がんばっていたら「がんばれ」ない

私たちは、さまざまな場面で「がんばれ」を使います。
運動会で応援する時。
「今日テストなんだ」と子どもに言われた時。
子どもが登園、登校する時も。
では、こんな時はどうでしょう。

自転車の補助輪を外すのは、子どもにとって大きなチャレンジです。

補助輪なしの自転車は、なんてったって不安定です。ぐらぐらするし、転んだら膝っこぞうをすりむくかもしれません。

こわい、でも乗りたい。乗りたい、でもこわい。

そんな揺れる気持ちを制しながら、自転車と格闘します。

こんな時、子どもはとっくにがんばっています。

やめてもいい状況にあって、負けまいとふんばっています。

人がなにかに向かっている時、向かって行こうとする時、私も「がんばれ」と言うことがあります。ほとんど無意識に、です。

けれど、本人はもうがんばっているのかもしれません。その子にとっては全力で。

テストなら「できないかもしれない」という不安と戦って。

登園・登校前なら「本当は家にいたいのに」というちっちゃいハートをなだめて。

がんばっているようには見えなくても。

外見《そとみ》には表れなくても。

その子なりに精一杯にもう、がんばっているのかもしれない。

はじめてお母さんになった頃、私は精神的にも体力的にもいっぱいいっぱいでした。

はじめてのおっぱい、はじめてのおむつ替え。

いつ夜になったのか、いつ朝になったのかわからない毎日。不眠でいつもイライラのふらふら。

そんな時言われた「がんばれ」。

なにげなく言ったのでしょうが、なんだか自分を否定されたように感じました。

「まだまだ足りない、もっとしっかりやりなよ」

そう、ハッパをかけられているようで、つらくなりました。

「こんなにがんばっているのに」

「これ以上がんばれないよ」

くやしくて涙がこぼれました。

がんばっている人に言うべきことばは「がんばれ」ではない。

そう、感じました。

「がんばってるね」で、またがんばれる

すでにがんばっていたら「がんばれ」と言われるのはきついなあ。

そう気づいてから、「がんばれ」を飲み込むことが多くなりました。

がんばりのメーターは、外からでは計れないから。

がんばっているかどうかなんて、本人にしかわからないから。

ではがんばっている状況で、なんと言ってもらったら嬉しいでしょう。

どう言ってもらったら「また前に進もう！」「よし、やってみよう」と思えるでしょう。

ここでお父さんは「がんばってるね」と言っています。

「がんばれ」と「がんばってるね」。

似て非なる言葉です。

「がんばれ」は、「もっともっと」と駆り立てられる感じがあります。「まだまだね」「それじゃあだめだよ」と言われているようです。

それに対して、「がんばってるね」は「それでオーケー」というニュアンスがあります。

「あなたのがんばりを私は知ってるよ。そのままでいいよ」

そんな感じがします。


あなたなら、どちらが心にしみますか。

どちらが次に進めますか。

私なら、「がんばってるね」です。

新米ママ時代、この言葉をもらっていたら、安心できたはずです。

「この人はわかってくれている。私のがんばりを認めてくれている」と。

ひとりでいい、自分を理解してくれる人がいるなら、「また元気だしていこう」と思えるのではないでしょうか。

「がんばれ」と言われたら、がんばれない。

「がんばってるね」と言われたら、がんばれる。

美しい逆説です。


それからもう一つ。「がんばってるね」は、相手をよく見ているから、かけられる言葉です。

そんな、ことばを送る側の「まなざし」や「気持ち」が一緒に届く気がします。

だからでしょうか、「がんばってるね」ということばをもらうと「見ていてくれている」「気にかけてくれている」と心がにっこりするのは。

「がんばれ」と「がんばってるね」。さて、あなたはどちらを選びますか？

Point!

「がんばってるね」で、またがんばれる

- がんばっていたら「がんばれ」ない
- かりたてられ感がある「がんばれ」
- 「がんばってるね」でがんばれる
- 理解者が、一人いたらがんばれる

子どもの立ち直りが早くなることば

「こわくない！」を「こわいね」にチェンジ！

こわいものはこわい

あなたのお子さん、花火は好きですか？

手に持つタイプの花火ではありません。夜空を彩る打ち上げ花火です。「ドーン！」というものすごい音とともに上がる、あの大玉花火です。

ノンが二歳の頃、花火見物に出かけたことがあります。

なのにノンったら「こわい」とずっと夫にしがみついたまま、一度も顔を上げませんでした。

さて、そんな時、あなたならどう声をかけますか？

まんがのお父さん、「こわくない！」と言っています。星飛馬《ほしひゅうま》の父のようです。ほかにはこんな時、どんな声かけがあるでしょう。お父さん、お母さんたちに聞いたらこんな答えが返ってきました。

「おそれるな！　と言う」

「あ、バッタ。とか話をそらす」

「こわいのこわいの飛んでいけ～、する」

「飴を口に放り込む」というのもありました。バラエティに富んでいます。


あなたが昔、失恋した時のことを思い出してください。

好きな人にふられてつらかったですよね。

オフコースの「さよなら」を聞いて大泣きしましたよね。

友だちにも涙ながらに胸の内を聞いてもらったことでしょう。

その時、友だちはなんと言いましたか。

「つらくない！」と言いましたか。

「泣くな！」でしたか。

「あ、バッタ」とか「つらいのつらいの、飛んでいけ～」でしたか。

飴はもらったかもしれません。

そんなことを言う友だちは、いなかったのではないでしょうか。その前に、そんな人とは友だちにならないかもしれません。


人は皆、気持ちに寄り添ってほしいもの。

話をそらされたり、封印されたら、ちょっとその人を信用できなくなります。

それは、子どもも同じではないでしょうか。


では、寄り添うことばとは、どんなものでしょう。

「こわいね」でこわさ薄れる

失恋した人に「つらくない！」というのは理不尽です。だって、実際つらいんですから。

それはわかるのに、なぜか子どもにはすごんでしまうことがあります。

「こわい」という子に「こわくない！」と。

「いたい」という子に「痛くない！」と。

それってやっぱり、変だと思いませんか。

子どもにしてみれば、わかってもらえないせつなさも加わって、ますます泣きが増すだけです。


では、どう言ったらいいのでしょう。

「こわいね」と言っています。

そう言われた子どもは、どうでしょう。「わかってもらえた」と安心するはずです。気持ちが軽くなるはずです。

「泣くな！」「こわくない！」とどなられるより、ずっと立ち直りが早まる気がします。

失恋話を聞いてもらった時、友だちはなんと言ってくれましたか。

「つらいね」

「悲しいね」

「わかるよ」

そういったことばではありませんでしたか。共感することばではありませんでしたか。それで気持ちがラクになって、少しずつ立ち直れたのではありませんか。


人は、人といることで悲しみは半分、喜びは二倍になるといいます。

私はこれ、合ってもいるけど間違ってもいると感じます。どう受け止めてもらうかによって、まったく違ってくるからです。共感してもらえると、悲しみは半分、喜びは二倍になります。けれど反論されると、悲しみが二倍で喜びは半分になる。逆転しちゃうんです。

悲しい時に「わかるよ」なら悲しみは半分になります。悲しい時に「悲しくない！」なら悲しみは二倍になります。

嬉しい時に「嬉しいね」なら喜びは二倍になります。嬉しい時に「ふん、そんなことくらい」という顔をされたら喜びは半減です。


共感のことばをかけましょう。

「こわい」なら「こわいね」と。
「いたい」なら「痛いね」と。
「おいしい」なら「おいしいね」と。
自分がそうしてほしいように。

Point!

「こわいね」で こわさ薄れる

・こわいものはこわい
・否定されたらつらくなる
・「こわいね」。共感ことばで安心できる
・共感されると悲しみ半分・喜び二倍

心配なんか飛んでいけ！　子どもの気持ちを後押しすることば

「大丈夫？」を「大丈夫！」にチェンジ！

「大丈夫？」で不安がつのる

子育てには心配がつきものです。心配症のお母さんなら、なおさらのことでしょう。それでついつい出てしまうのが「大丈夫？」ということばです。

子どもがよその犬に触ろうとしたら。

「この木にのぼる」と高い木を指さしたら。

あなたも言いますか、「大丈夫？」と。

こんな時、「大丈夫？」と言いがちです。

「大丈夫？」。このことばは心配しているように聞こえて、じつのところ相手の力をうばうように感じます。

たとえば、お子さんとの旅を計画したとします。それを友人に告げた時「大丈夫？」と言われたらいかがでしょう。自分でもちょっぴり不安だった部分がむくむくとふくれあがり、「やっぱり無理かも」と思えてきませんか。それまでのやる気満々の気持ちが、しゅーっと音を立てしぼんでいくのを感じませんか。

小学五年生になった頃のノン。クラス替えでなかよしさんと離れてしまったことで、登校を渋るようになりました。

泣いて登校できない日もありました。

学校へ行っても、保健室で過ごすこともありました。

五月の運動会、その日はめずらしく「カメラ持ってきてね」と飛び出していったノン。「この様子なら、今日は元気にやってくるだろう」とほっとしました。

でも、いざ夫とグラウンドに出かけてみると、クラスの集団にノンがいないのです。

「あれ？　あの辺りにいるはずなんだけど」

「いないよ、おかしいな」

「どこに行ったんだろう」

見ると、少し離れた控え所で、一人ぽつんと体操座り。頭を膝にうずめ、乾いた砂にぽつぽつと、涙が落っこちています。

「大丈夫？」

ときどき友だちがそう声をかけに来てくれます。けれどそのたび、もっと顔をうずめて体を硬くするのがわかります。

それは「大丈夫じゃない自分」を演出するようにも、そのことばを拒絶しているようにも見えました。


「心配はかえって力をうばう」

その光景を見て、確信しました。

では、「大丈夫?」に変わることばはなんでしょう。

「大丈夫!」で勇気百倍

「大丈夫?」

次々に声をかけてくれる友だち。

それを目にして「ありがたい」という思いがわきます。なのに、ますます元気をなくしていくノンに、どうしていいのかわからない無力な私。

その時、一人の友だちがこの状況を一変させました。それも、たった〝ひと言〟で。この友だちは、なんと言ったと思いますか。

ヒントはこちらです。

「大丈夫！」と言っています。

そう言われた子どもは、「そっか、大丈夫なんだ！」という気になり、犬に触る勇気が出ました。「大丈夫！」が、子どもの力になったのです。

「大丈夫？」と「大丈夫！」。

言う側の気持ちは、どのようなものでしょうか。

「大丈夫？」は相手に不安を感じ、心配する言い方です。

「あなたにはできない」

「私はあなたに、そんな力があるとは思えない」

そんな気持ちが、見え隠れします。

「大丈夫！」は相手を信頼する言い方です。

「あなたならできる」

「私はあなたを信じている」

そんな気持ちの表れです。その気持ちが、そのことばが、子どもの行動を決めます。

「大丈夫？」なら「やめておこう」。

「大丈夫！」なら「やってみよう」と。


さて、泣いていたノンを一変させたのは、ある女の子のことばでした。そしてそれは「大丈夫！」とはちょっと違いました。なんだと思いますか？

それは「行こう！」でした。そう言われたノンはぱっと顔を上げて手をつなぎ、鉄砲玉みたいに走っていきました。一瞬の出来事で、私は「へっ？」という顔をして、小さくなる背中を見送るだけでした。

「行こう！」には、娘への信頼がつまっています。
「ノンなら大丈夫！　行けるよ、行こう！」
ノンには、そう聞こえたのではないでしょうか。

青空に歓声響くグラウンドで、私だけが知っている小さな小さなドラマです。

Point!

「大丈夫?」より「大丈夫!」

・「大丈夫？」は不安の表れ
・「大丈夫？」は力をうばう
・「大丈夫！」で勇気百倍
・「心配」より「信頼」、「大丈夫？」より「大丈夫！」

Chapter

4

「いつでもあなたの味方だよ」

子どものやる気をぐんぐん引き出すことば

子どもが喜ぶ！まんまる空気が広がることば

「ここが×」を「ここが○」にチェンジ！

「ここが×」で空気ぱさぱさ

あなたはどんなお母さん、またはお父さんですか。
やさしいですか？
それとも、厳しいですか？
状況によりけりかもしれませんね。
では、こんな時なら、どんなことばをかけるでしょう。

子どもが七〇点のテストを持って帰ってきました。
あなただったら、どんなことばをかけますか。
まんがのお母さんは「ここができなかった」と「×探し」をしています。
私たちは満ちているものに美しさを感じ、欠けているものに不安を覚えます。満月が美しいと感じるのは、そのせいかもしれません。上唇だけで、下唇に口紅を塗っていない人がいたら、ギョッとしますしね。

だからでしょうか、満点の答案は美しいです。

そこに「×」があれば、やはり目立ちます。気になります。

それでついつい「ここ、わからなかったの？」と尋ねます。

ですが、子どもとしてはどうでしょう。◯もある中で、間違いだけ、できないところだけを指摘されたら。


ある時、寝る間際まで歯みがきをしていないダイに言いました。

「歯みがきは？」

すると、ダイは急に怒り出しました。なぜそんなことで怒り出すのかと思ったら、理由はこうでした。

「お母さんは、いつも、やらないときだけ注意する。ぼくだって自分からやることもあるのに。やってる時はなんにも言わないのに、やらない時だけ言われるのは、なんか、やだ」

それがもう習慣になっている大人にしてみれば、歯みがきなんてやって当たり前のことです。着替えだって、洗顔だってそうです。だから、それをしたからといって、いちいち声をかけてきませんでした。それがダイには不満だったようです。

そういえば私も「今日のシチュー、焦げてるね」と言われてむっとしたことがあります。

おいしくできた時はスルーなのに、です。

それと同じことなのかな。

では、どう言えば満足するのでしょうか。

「ここが○」で空気もまんまるっ

シチューの焦げを指摘され、私は怒りました（逆ギレか）。「これは焦がしシチューだ！」と言い張りました（新作か）。私だってやっぱり、ミスした時だけ、うまくいかなかったことだけ注意されたら、嫌になります。

「料理はおいしくて当たり前」で「まずい時だけ指摘する」、それってどうでしょう。

「ここが×」と、だめなことだけつるし上げられたら、あなたならどう感じます？

私なら「やってられない」が本音です。

歯みがきの一件でダイが怒ったのも、自分に置き換えるとよくわかります。

では、どう声をかけたらいいのでしょう。

このお母さん、「ここが○《まる》」とできたところを口に出しています。

「×」もあるけど「○」もある。ならば、どちらを見てもらった方が嬉しいですか。

「わーい、またがんばろう」と思えますか。

私なら、断然「ここが○」です。

以前「♪それが　あなたの　いい　と・こ・ろ～♪」というコマーシャルがありました。そんなふうにいいところ、できたことを認めてもらうと、やる気が出ます。

「このトンカツ、サイコー」

「お母さん、いつもごはん作ってくれてありがとう」と言ってほしい。

そしたら「またおいしいの作ってあげよう、ルンルン」となります。

普段から「○」を言ってもらっていれば、たまの「×」も素直に聞ける気がします。

このことがあって、ダイが自分から歯みがきしている時も、時々声をかけるようにしました。

「やってるね」「歯が喜んでるみたい」なんて。ダイは「気づいたな」といった感じで、にやりとします。それに加えて、いろんな場面で○探しをするようになりました。

新聞を取ってきてくれたら、「助かる～」と。のんびり屋さんのノンだけれど、「ゆっくり、ていねいだね」と。人は、光を当てた部分が大きくなるといいます。「×」も「○」も、あなたが口にしたところが拡大していくのです。

そうそう、こんなことがありました。私が床に味噌を落としたら、ダイがすれ違いざまに言いました。

「みそ、落としたよ」

私は内心「気づいたのなら、拭いてくれてもいいんじゃない？」と思いました。けれども「待てよ」、○を探して伝えました。

「教えてくれてありがとう」

そしたら、どうしたと思います？　いったん通り過ぎたダイが、くるりとまわれ右。そうして、わざわざ戻ってきて拭いてくれたのです！　これには「○探し」の威力を、じわぁっと感じました。

「○探し」。これを心がけてから、家の中の空気もまあるくなった気がします。

Point!

「ここが○」で空気もまんまるっ

- 人は光を当てた部分が大きくなる
- 「ここが×」で空気ぱさぱさ
- 「ここが○」でやる気アップ
- 「○」があるから「×」も聞ける

元気もりもり！次へのエネルギーがわくことば

「疲れた」を「楽しかった」にチェンジ！

「疲れた」でみんな疲れる

子育ての一日は大忙しです。

ほとんどが子どものペースで進んでいき、お母さんは息つくひまもありません。

外遊びから帰った時、子どもと一緒の買い物から戻った時、はたまた特別なこともなく、今日もどっぷり育児をして眠りにつく時、あなたはどんなことばを発していますか？

あなたがついつい口にすることばに、「疲れた」はランクインされていませんか。

ノンは裸好きでした（赤ちゃんの頃ね）。お風呂上がりにパジャマを着せるのがひと仕事。毎度毎度追いかけまわし、しまいに出ることばが「疲れた～」でした。

これと似たようなものに、こんなことばがあります。

「しんどい」

「はあ～（ため息）」

「もう、やだ～！」
書いているだけでも「疲れ」てきます。

「だんなと旅行に行きたくない」と言っている知人がいました。
理由を尋ねると、こうでした。
「家に帰って来るとね、うちのだんな、ものすごくかったるい顔して言うの。
『疲れた～』って。
どんなに楽しい旅行も、それを聞いた瞬間『疲れた旅行』に変わる」
わかる気するなぁ。

本人はなにげなく言っているのかもしれません。
口ぐせになっているだけかもしれません。
悪気なんて、これっぽっちもないのかもしれません。
それでも、聞いた人をうんざりさせるのは事実です。
あなたは「疲れた」で、子どもの疲れを誘っていませんか。
さびしい思いをさせてはいませんか。

子どもとの遊びで、買い物で、ただただ子どものそばにいたことで、「疲れた」と言われたら、子どもはどう感じるでしょう。

「楽しかった」で楽しくなる

たとえば、子どもの誕生日。
あなたは子どもを喜ばせようと、せっせとお祝いの準備をしたとします。
ケーキを焼いてクリームを絞り、苺もたっぷり乗せました。
プレゼントは休日のうちに買っておいたので、あとはラッピングをするだけです。
テーブルにはとっておきのクロスを敷いて、お花も飾っておきましょう。
さあ、みんな席について!
パーティーの始まり始まり～。

さて、このパーティーが終わる頃、子どもに期待することばはなんですか。
答えは次の中に。

パーティーが終わって、子どもに言ってほしいことばはなんでしょう。

「楽しかった」ではないでしょうか。

そのたった〝ひと言〟が、笑顔が、最高の見返りです。それがあるから、「また喜ばせてあげよう」という気になります。「また」を、「次」を、考えます。

最後のひと言、締めのひと言がすべてを決めます。

「疲れた」で締めると、疲れた出来事に。

「楽しかった」で締めると、楽しかった出来事になります。

それは、口にした人にとっても、耳にした人にとっても、です。


「子どもと一緒」が大変なのは、私にもよくわかります。

ノンとダイは年が近いから、おでかけはいつだって「一泊二日?」みたいな大荷物でした。

夫はいったん出張に行くと、帰りのめどが立たないこともありました。自転車の後ろでぐずられて、片手で抱っこ、片手で自転車を押して、ひいひい帰った日もありました。

だからよくよくわかります、疲れる気持ち。

それでも、無理やりでもいい。口先だけでもいい。

だまされたと思って「楽しかった」で締めてみてください。

すると不思議なもので、本当に楽しかった気がしてくるのです。ことばにつられて笑顔が出てくるのです。そして、なんだかおかしくなる。大きな荷物も、夫の不在も、空っぽの自転車も。

なんだか不思議と、ね。

外遊びも、買い物も、一日の終わりも「楽しかった」で終えてみませんか?
するとあなたの中に、元気がもりもりわいてきますよ。

Point!

「楽しかった」で楽しくなる

・締めのひと言がすべてを決める
・「疲れた」でみんな疲れる
・「楽しかった」で楽しくなる
・笑顔と元気はことばがつくる

子どもがワクワク！やる気になることば

「歯みがきしないと、虫歯になる」を「歯みがきすると、きれいになる」にチェンジ！

こわがらせても、はじまらない

「あー、じいちゃんたら、また子どもにキャラメル食べさせてるぅ。『食べさせないのはかわいそうだ』とか勝手な理屈つけて。虫歯になる方がよっぽどかわいそうなのに」

こんなこと、よくありますよね。

あなたはその後、子どもに歯みがきをさせたくて、どう言っていますか？

「歯みがきしないと、虫歯になるよ」
私はそんなふうに言っていました。
すると、ノンもダイも「むしばこわい〜」と涙目になるのです。こわいならみがけばいいのに、ただおびえるだけです。
どうしたもんでしょ？

このほかにも、私はよく、こんな言い方をしていました。

「片付けないと、ごはん食べられないでしょ」

「お風呂入らないと、くさくなるよ」

「いい子にしないと、ナマハゲが来るよ」


これらの共通点は、なんでしょうか。

これは、どれも同じ構造になっています。

「望ましくない行動（歯みがきしない）」＋「暗い未来（虫歯になる）」という形です。

そして、この言い方には、二つの問題があります。

一つめは、「望ましくない行動」を示されても、「では、なにをすればいいか」がわからないことです。

「歯みがきしないと、虫歯になる」なら、「じゃあ、みがけばいいんだ」と転換できるのは、経験豊富な大人だからです。子どもは、そこまで考えることができません。

二つめは、暗い未来を見せられると、前に進めなくなることです。

だって進んだらそれが待っているのですから。「虫歯になる」未来は、「こわい〜」のです。こわいことが起きる未来になんて、あなただって行きたくありませんよね。

ちなみに前出の「じいちゃん」とは、私の父です。すぐ甘いものをあげたがる父と、虫歯にしたくない私の間で、ノンとダイは板挟み。

こんな時、じいちゃんは言います。

「キャラメル食べないと大きくなれないぞ」（↑どんなキャラメルだ？）

この言い方って、子どもにとっては、じつにややこしい言い回しのようです。

では、どんなふうに話したらいいのでしょう。

「暗い未来」を「明るい未来」にチェンジ！

「望ましくない行動」＋「暗い未来」には、二つの問題があります。

一つめは、「なにをしたらいいのかわからない」こと。

これをクリアするには、「なにをするか」を示すといいです。

二つめは、「暗い未来」に向かっては進めないこと。

ならば「明るい未来」を見せるといいですね。

これに照らして、歯みがきを促すならこんな感じになります。

「歯みがきすると、きれいになるよ」と言っています。

これは「望ましい行動」＋「明るい未来」です。「歯みがきする」で、「なにをするか」がわかります。「きれいになる」で、明るい未来が見えます。気持ちよさそうなこと、楽しそうなことって、やりたくなりませんか。たとえ止められても。

「それ、いいな♪」と、進んでコトに向かうためには、明るい未来を示すのが効果的です。

子どもを保育園の一時預かりに預けた時、こんな光景に出くわしたことがあります。

三歳の女の子とお母さんの、別れ際の会話です。

「ママ、はやくむかえにこられる？」

「仕事が終わらないと、来られないのよ」

「やだー！（泣）」

きっと女の子には「（ママは）来られない」という暗い映像が心を占拠しているのでしょう。迎えに来てもらえないなんて、子どもにとっては一大事です！　泣きは激しさを増す一方でした。

そんなやりとりが何度か続いたあと、見かねた保育士さんが言いました。

「ママはね、お仕事が終わったら、ちゃーんと迎えに来るよ」

女の子はほっとした顔をして、ばいばいしました。

「ちゃーんと迎えに来る」という、明るい未来で安心したのでしょう。めでたし、めでたし。

場面変わって、ダイが寝坊した朝のこと。ご飯を食べずにランドセルをつかんで走り出したことがあります。私は大急ぎでおにぎりを握って、叫びました。

「朝ご飯食べないと、力が出ないよ！」

「いい！　いらない」

しまった、暗い未来を見せてしまいました（汗）。

「お母さんのおにぎり食べると、元気に遊べるよ」

「やっぱり食べる！」

ダイはUターンして、おにぎりをぱくっとくわえ、すっ飛んで行きました。

えっへん！　心理作戦の勝利です。

Point!

「歯みがきすると、きれいになるよ」

- 「望ましくない行動」では、することがわからない
- 「暗い未来」には進めない
- 「望ましい行動」を示すと、することがわかる
- 「明るい未来」なら前に進める

なんでもできる気がする！子どものよさがふくらむことば

「なんか」を「なら」にチェンジ！

「なんか」は力をうばう

「○○○なんか」の「○○○」には、なにが入るでしょう。

「おまえ」「あなた」といった相手に対するもの。「わたし」「おれ」といった自分に対するもの。

この「おまえなんか」「わたしなんか」といったことば、あなたはどう感じますか？

「わたしなんか」が口ぐせのお母さん。

それがうつって「ぼくなんか」を言うようになった男の子。

見ていて、どうでしょう。

なんだか「いたた」です。夏の真っ盛りでも、そこだけすき間風が吹いているようです。

だんな様から「おまえなんか」と言われている知人がいます。

「おまえなんか、いつも家にいるくせに、掃除もできない」

「おまえなんか、ろくに米もとげない」

「なんか」ばっかりです。

そのせいでこの知人、「わたしなんか」が口ぐせになってしまいました。頼みごとをしても「わたしなんか、とても無理」。「ごはん食べに行こう」の誘いにも「わたしなんかでいいの?」。自信のなさが、手に取るようにわかります。

はじめのうちは「そんなことないよぉ」と打ち消していました。けれど、ランチしながらも「わたしなんか」が頻繁に登場します。聞いているこちらまで、生気を吸い取られていくようで疲れます。それでいつの間にか、すっかりごぶさたになりました。


児童相談所の方が言っていました。

「親にね、ひどい言葉を投げつけられた子どもがたくさんいるんですよ。子どもが一番傷つくのは、どんな言葉だと思います?『おまえなんか、いらない子だった』ですよ」


これも「なんか」です。

「なんか」は力をうばい、さらに聞く側の不快感も誘います。

そうとわかったら、ことばを変えるだけです。

さあて、どう料理しましょうか。

あなたなら、できる！

「なんか」のあとには、どんなことばが続いたでしょうか。

「ろくに米もとげない」

「とても無理」

「いらない子だった」

すべて、否定的な表現が続いています。

「なんか」と「否定的な表現」がセットになって、負のスパイラルに陥っています。これでは、言う方も聞く方もしんどくなって当たり前。

では、どう言えばいいのでしょう。

まんがのお母さんと「ぼく」、そしてねこ君、「なんか」をこう変えました。

「○○○なら」になっています。
「なんか」を「なら」に変えました。
それに続くことばにご注目！ 「できる」ことに焦点が合っています。「なら」のあとには「できること」が続きます。肯定的な表現が重なり、正のスパイラルができあがります。
人は、光が当たったところが増幅していくそうです。重曹にぽたんと酢をたらすと、そこだけしゅわしゅわと泡がふくらむでしょう？ そんな感じをイメージしてください。

だめなところに光を当てると、だめなところがしゅわしゅわ〜。

いいところに光を当てると、いいところがしゅわしゅわ〜。

あなたの当てた光が、だめなところもいいところも増殖させるのです。ならば、どちらにそれを当てますか。


人間、だめなところを指摘されても、気分がなえるだけです。

もし、だんな様にこう言われたらどうですか。

「おまえは家事も育児もできないなあ。それに、結婚前より二十キロも太っただろ。『産後太りよ』って言うけどさ、子どもが十歳になっても産後なのか」

あ〜、書いてて耳が痛いです。

これで「よ〜し、やったるで〜！」と燃える人は少ないでしょう。だめなところを並べられたら、「落ちるところまで落ちてやる」という人が多い気がします（笑）。

では、次のようにいいところを言ってもらえたら、いかがでしょう。

「おまえの唐揚げはうまいなあ。おまえなら、天ぷらもカラッとできそうだぞ」

ね、これなら天ぷらも、それから家事も育児も、ダイエットだって、がんばろうって思えませんか？

当てた光がその部分を増殖させるなら、いいところに当てていきたい。だったら、「なら」の出番です。波及効果で、まわりまで一緒に持ち上げられるかもしれません。天ぷらだけでなく、家事も、育児も、がぜんやる気が出るように。

使い慣れたことばを変えるのは難しいですか。

いいえ、「あなたなら、できる！」。

Point!

「あなたなら、できる！」

- 力をうばう「なんか」
- 「なら」のあとには肯定表現が続く
- 部分をほめると、全体が上がる
- 光を当てたところが増殖する

Chapter

5

「生きてるって楽しいね！」

子どもがぴかぴかの
笑顔になることば

子どもがつるんと動き出すことば

「なさい」を「しよう」にチェンジ！

「なさい」で指示待ち人間に

「ああしなさい」「こうしなさい」の「なさい」。

「早く」とならんで登場率が高いのではないでしょうか。「早く」とセットで使いこなして（？）いる人もいることでしょう（私？）。

こうした指示命令のことばが一日何回使われているか、調べた人がいます。何回だと思いますか。なんと平均して八十回だそうです。

では、「なさい」で言いつけられると、子どもはどんな反応をするでしょうか。

アフリカにはマサイ族がいます。「なさい」を連発する人を、私はひそかに「なさい族」と呼んでいます。なさい族には従うしかありません。とくに小さな子どもなら。

「起きなさい」

「はい」

「着替えなさい」

「はい」

「ごはんを食べなさい」

「はい」

「なさい」に従っても、それは「やらされ感」がたっぷりなことでしょう。やらされたり、押しつけられたりすることに、あなたなら進んで取り組めますか。

たとえば、だんな様から「今から同僚を連れて行くから、飯を作っておきなさい」と言われたら？

上司から「急いで先方に謝ってきなさい」と言われたら？

なんだかすっきりしませんよね。だんな様にだったら「今忙しいから、なにか買ってきて」と言うこともできます。けれど上司には、そうはいきません。相手が上の立場なら、従うしかないでしょう。

同じように、子どもも小さいうちは親に逆らえません。

「なさい」の圧力の前には、嫌々やるしかないでしょう。

これで、指示待ち人間の一丁上がりです。

自分というものをバシッともっている人ならば、「なさい」という指示命令は受け入れがたいものです。

ですが、従っていればことが済むのなら、それはそれでラクなことでもあります。その「ラクさ」を知ってしまうと、そこから脱出できなくなっていきます。誰かの指示がないと、動けない人間になってしまいます。

あなたの子どもには、そんな人になってほしくないですよね。自分で考え、自ら動ける人間になってほしいですよね。

そのためには、どんなことばに変えるとよいのでしょう。

「しよう」で気が向く

「なさい」に変わることばは、なんでしょうか。

旧友とおしゃべりをしていて、別れがたいことってありますよね。帰らなければいけないのはわかっています。途中で夕飯の材料も買わなければいけません。そろそろ出ないと、サンマ一四三十円のタイムセールに間に合いません。ああ〜。

こんな時、友だちになんと言ってもらったら、出やすいでしょう。

ヒントはこちらです。

「しよう」という「Let's形」です。

別れたいけど別れがたい時、お店を出たいけれど出がたい時、友だちにこう言ってもらえると出やすいですよね。

「そろそろ出ようか」

心の中でほっとして、「ああ、よかった」「きっかけをくれてありがとう」と思います。

子どもだって、きっと同じです。

起きなくてはいけないのはわかっています。着替えするのだって、ごはんを食べるのだって、十分承知しているはずです。ただちょっと、まだ心が向かわないだけです。

そんなとき「起きなさい」と言われたら、「ひー」と縮み上がりませんか。

喫茶店で「出なさい」と言われたら「なんなのよ！」と思います（たぶん）。「なさい」に対して私なら、上から目線を感じます。

子どもも、きっかけがほしいだけかもしれません。

「起きよう」「着替えしよう」「ごはん食べよう」と。そうしたら「うん、そろそろやろうか」と気持ちが向いてきます。

そう、「出よう」と言われた時のように。

自分から「やろう」という気持ちで向かえば、そこに「やらされ感」はありません。前向きに自分の意思で取り組めます。

それにね、思うんです。

「しよう」には、「一緒」の空気がただよっているなって。

「自分ひとりならおっくうだけど、お母さんがいっしょならやろう」というように。

なんだか嬉しい、安心空気です。
それにこれ、言う側もやさしい気持ちになりませんか。
これもまた「一緒」が生み出す空気のおかげかもしれません。

Point!

「しよう」で一緒

- 「なさい」には「やらされ感」
- 従うラクさを知ると、指示待ち人間一丁上がり
- 「しよう」で気が向く
- 「一緒」が嬉しい

「よし、もう一回！」子どもがその気になることば

「ほら見ろ」ビームを「ほら、できた」にチェンジ！

「ほら見ろ」ビームがやる気をそぐ

子どもに失敗はつきものです。それは、頭ではわかっているつもりです。ですが実際に失敗すると、言いそうになるんです。

「ほら見ろ」

「だから言わんこっちゃない」

たとえば、「皿回ししま～す」なんて時もそうです。

「落とすぞ、落とすぞ」

そう思っていると、本当に落として割ったりします。それで、つい言ってしまいます。

こんな時、私は「ほら見ろ」的なことばを発します。発しないまでも、そういう顔になっているはずです。きっと子どもも「やっちゃった」と思っているところにこのことば。トドメです。
もしかしたら「やっちゃった」なんて、思ってさえいないかもしれません。そんな暇もなく

「今度こそ！」と燃えているかもしれません。

それなのに、近くにいる人が「ほら見ろ」ビームを出していたらどうでしょう。「はぁぁぁ」とため息をついていたらどうでしょう。

あなたならやる気、出ますか？　失《う》せますよね。


人はことばに影響されます。

できると言われれば、できる気がする。

できないと言われれば、できない気がする。

できるかできないかなんて、紙一重です。その時の気合いの入り具合や、タイミングひとつかもしれません。

「失敗はマイナスじゃない。『この方法は違うんだ』という、ひとつの発見、ひとつの前進」

そう言った人がいます。いいこと言うなぁ。

「失敗してもいいよ」

「チャレンジする気持ちが素晴らしいんだ」

皿はもったいないですが、そう言える、ふところの深い親でありたいです。

では、チャレンジしたそのあとです。

子どもが「まだまだ！」とファイトを燃やし続けるためには、どんなことばをかけたらいいでしょう。

「その瞬間」を見逃すな

ノンは手先が器用です。そのせいか、遊びに行った先でやらせてもらった皿回しもどんどん上達しました。

それを見て、ダイもチャレンジします。が、こちらはどうして、なかなかうまく回すことができません。

皿を落とすたびに「ほら見ろ」の顔になりそうな私。

「いけない、いけない、チャレンジする気持ちが素晴らしいのだ」

思い直して、顔にぐっと力を込めます。

同じくダイを見守っていたノン、ある瞬間ナイス（死語？）なことばをかけました。そのタイミングが絶妙でした。

「上手だねぇ」

ほんの一、二秒回った瞬間をとらえてのひと言でした。

そしてそのあと言いました。

「ほら、お皿の手をはなしてすぐ、ぼうを小さく回したでしょ？　だから回ったんだよ」

うまくいった理由を、具体的に伝えたのです。わが娘ながらあっぱれ！　です。皿回しが、ではなく、言うことが、です。

・できた瞬間に声をかけ、一緒に喜ぶ
・うまくいった要因を具体的に伝える

ノンは、この二つを自然にやってのけたのでした。

人は誰かが一緒に喜んでくれることで、喜びが倍増します。それがその子に「自分もできる」という自信をもたらします。しかもそれが成功した瞬間であれば、「ちゃんと見てくれている」と、よりやる気が出ます。この時のことばは、「ほら、できた」「いいぞ」「やったね」などがいいでしょう。

そして、具体的な成功ポイントを知ることで、それまで無意識に行っていたことを、意識してできるようになります。これを「無意識の意識化」と呼ぶそうです。

意識して成功ポイントを操ることができれば、その後、うまくいく確率はぐーんと高くなります。実際、このあとダイは、棒を小さく回すことを意識して、最終的には六秒回せるようになりました。大躍進です！

失敗したら、チャレンジした気持ちをたたえる。

成功したら、一緒に喜び、ポイントを伝える。

成功ポイントがわからなかったら、聞けばいいのです。「どうしたらうまくいったの？」と。

このことがあってから、私も聞くようになりました。ダイが野球でいい当たりを出した時、ノンの作ったクッキーがやたらおいしい時などに。

すると「う～ん」と頭をひねりひねり、「そういえば……」と、自分なりの成功ポイントを話してくれます。これが無意識の意識化です。

あなたも、お子さんがなにかをして、うまくいったら聞いてください。

そこから「一緒に喜ぶ→やる気が出る→成功ポイントを知る→意識して行う→できる→また一緒に喜ぶ」、こんな好循環が生まれますよ。

そうなればしめたもの。目の前のことにどんどんファイトを燃やすことでしょう。

これであなたのお子さんも、皿回しができる日は近いです。

Point!

「その瞬間」を見逃すな

- **「ほら見ろ」ビームがやる気をそぐ**
- **失敗は「この方法は違う」という発見**
- **できた瞬間「ほら、できた」**
- **一緒に喜び、成功ポイントに気づかせる**

「あきらめない！」子どもの可能性がわき出すことば

「どうせ」を「どうせだから」にチェンジ！

「どうせ」は足かせ

「どうせ」

これも「なんか」と並んで、聞く人をうんざりさせることばです。

「わたしは、どうせ太ってるから」

「どうせあなたは不器用だから」

「どうせ地方に住んでるから」

「どうせ」にも、やはり否定的な表現が続きます。

「どうせ」のあとに続くのは、「できない」「やれない」「難しい」といったニュアンスです。

「わたしは、どうせ太ってるから、写真写りが悪いのよ」

「どうせあなたは不器用だから、竹とんぼなんて作れないでしょう」

「どうせ」で始まる「できない理由」「やらない理由」は、人を守るカラです。それでできないことを正当化しています。相手にも「なら仕方ないか」と感じてもらえるかもしれません。

でも、自分で自分に制限をつけるのは、もったいないと思いませんか。まして、人に制限をつけるのはどうでしょう。

人は言われたことに影響を受けます。子どもだったらなおさらのこと。しかもそれが大好きな人から発せられたらどうでしょう。

「おまえには、どうせむりだよ」

すると子どもは思います。

「この人が言うんだから、そうだよね～。ぼくにはやっぱりむりなんだ！　やめとこ、やめとこ」

そんなふうに、自信ややる気を、すっぱり断ち切ってしまうのではないでしょうか？

車には制限速度があります。公道で飛ばしたら危険だからです。でも、本当は二百キロくらいは出るかもしれません。

あなたに制限をかけているものは、なんですか。法律ですか。社会の目ですか。

いいえ、違います。あなたに制限をかけているのは、あなた自身です。

あなたが使う、そのことばです。

そして、そのことばは、子どもにも受け継がれていきます。

車には制限が必要だけれど、あなたの可能性に制限はいりませんよね。

もちろん、子どもにも。
自分で自分に制限をつけないでください。
子どもに制限をつけないでください。

その制限を外してみませんか。
するとほら。無限の可能性が、泉みたいにとくとくと、音を立ててわき出しますよ。

「どうせだから」未来にチャレンジ！

「どうせ」は、自分にも相手にも制限をかけることばです。
そう言うことで、行動しない理由を正当化しています。
人は変化を嫌う動物です。変化は「今と違う」ことを意味します。
今現在、安全に生きているのであれば、変化するのがこわいのは本能かもしれません。
でも、人は変わることで成長します。大きくなれます。
今のカラを脱いで、ひとまわり大きくなりましょう。
だから、「どうせ」が口をついて出たら、続けてこう言ってください。

「どうせだから」になっています。

「どうせだから」と言ったあとは、消極的なことばは続きません。

「どうせだから、やってみよう」

「どうせだから、いちかばちかチャレンジだ」

そんな前向きことばに変わるはずです。

知人がこんな素敵なことばを教えてくれました。

「できない理由を探すより、できる道を探していこう」

この知人は、カリグラフィーの技能を身につけてインストラクターになりました。地方から東京まで何度も通い、ようやく手にした資格でした。

それを友だちに話したら、こんな反応が返ってきたそうです。

「いいよね、あなたは。好きなことができて。わたしはどうせ子どもも預けられないし、自由になる時間も、お金もない。いいよね、あなたは」

「どうせ」に続く、言い訳のオンパレードです。知人は言い返さない代わりに、心の中で思ったそうです。

「わたしも状況は一緒だよ」と。

知人は子どもの預け先を探し、だんな様を説得して時間をつくり、せっせと貯めたお金で出かけたのです。ひとつひとつ、できる道を探したのです。

「どうせ」で自分を制限したその友だちは、今、なにをしているのか知りません。

「どうせだから」と奮闘した知人は、その分野では県内を代表するインストラクターとして、生徒さんの指導に当たっています。

「どうせ」が出たら、「だから」をくっつけてください。
思いもしなかったキラキラの未来が、あなたを待っているかもしれません。

Point!

「どうせだから」輝く未来に向かっていこう

- 「どうせ」が、制限をかける
- 「どうせ」が出たら、「だから」をつける
- できない理由を探すより、できる道を探していこう

子どもの小さなステップが大きなジャンプにつながることば

「人と比べてあなたは×」を「前と比べてここが○《まる》」にチェンジ！

どうにもできない、「人と比べてあなたは×」

「お兄ちゃんと比べて、あなたはのんびり屋さんなんだから」

「見てごらん、お隣のしょうちゃんは、もうひらがなが書けるよ」

「ねえ、あの子はにんじんも食べてるよ」

比較すると気になって、なんとか理想の対象に近づいてほしくて、「人と比べてあなたは×」という意味合いのことを言うことがありませんか。

親としては、「あなたもそうなれるといいね」という気持ちを含んでいます。
けれど、たいていそのことばは省かれ、「あなたは×」の印象で終わります。

「あなたは×」

その印象で終わられたら、どうでしょう。

否定されているような気がしませんか。

拒否されているように感じませんか。

私も、ダイに言われることがあります。

「いいなあ、けんちゃんのおうちは。休みの日は、ずーっとゲームしててもいいんだって」

「いいなあ、ちいちゃんのおうちは。お年玉、ぜーんぶおもちゃに使っていいんだって」

そう言われると私は、瞳孔《どうこう》をかっと見開いて答えます（こわっ）。

「あ、そ！　じゃあ、そこの家の子になれば？」

かなりイヤミが混じっています。だって腹が立つんだもん。

これは「友だちの家に比べて、うちは×」ということです。

これ、言われたところで、どうにもできません。子どもにずっと、ゲームをさせたくありません。お年玉は相談した額なら使っていいけれど、あとは貯金もさせたいです。

そして「そこの家の子になれば？」と言われた子どもだって、そこの家の子になれません。できないことばっかりです。どうにもこうにも前に進まない会話です。険悪ムードになるだけです。

それなのに、それと同じようなことを、私も子どもに言っていることがあります。

ノンに向かって「ダイはもう、学校の準備が終わったよ」、ダイに向かって「ノンはおみそ汁も全部飲んだよ」と。

人と比べられても、子どもだって困るだけ。

ノン、ダイ、ごめんよ～。

「前と比べてここが○《まる》」が背中を押す

「人と比べてあなたは×」

これでは話が前に進みません。

「比べないでほしいよな」

「そう言われても、どうにもできない」

これが本音ではないでしょうか。

私が言われたら、けんか腰になります。

「けんちゃんのおうち」と比べられたって、「ちいちゃんのおうち」と比べられたって、私だってどうにもできないのです。

「人と比べてあなたは×」

これが出そうになったら、こんなふうに転換してみてください。

ポイントは「人と比べず」に「前と比べる」、「×探し」から「○探し」です。

「前より上手に使えるようになったね」と言っています。
比べる対象が「他人」ではなく、「本人の前の状態」です。
そして「×」ではなく「○」、「いい部分」を話しています。

「人」と比べることから、「前」と比べることに。

「×探し」から「○探し」へ。

ちょっとの違いですが、かなりの違いです。


ある日突然、ウエストが五センチ減っていた。なんてことは、私の歴史始まって以来ありません。幸い減っていたとして、マイナス五ミリが関の山。それでも、減っていたら嬉しいです。

そして、ちょっとでも減っていると「よし！　また腹筋がんばろう」と気合いが入ります。

これを「ベイビーステップ」と呼ぶそうです（かわいい！）。ベイビーステップとは、小さな階段のこと。ちょっとがんばれば越えられること、です。

「いきなり五センチは無理そうだけど、二センチならなんとかなるかな」

「ぼく、これからもっと、おはしがうまくつかえるかも」

そう思えるのは、このベイビーステップを上がった時です。

小さくても、自分なりに手応えを感じた時です。

自分にもできた、だからもっとできるかも、と希望が見えた時です。

それが、その後のジャンプにつながっていきます。


ですが、自分の成長ってよくわかりません。子どもならなおさらです。だから言ってあげるのです。あなたがお知らせ係になるのです。

「昨日より、五分早く起きられたね」

「ひらがなの『し』が書けてるよ」

「にんじん、一口食べられたね」

「前と比べる」「○を探す」、それが人の背中を押すようです。

Point!

「前と比べてここが○」

- 「あなたは×」で自信喪失
- 「人と比べる」より「前と比べる」
- 「×」より「○」
- 成長を知ると、やる気が出る

Chapter

6

「人から好かれる子に」

子どものコミュニケーションの力がつくことば

好感度アップ！気持ちよく会話できる子になることば

「ブッ切りことば」を「文章」にチェンジ！

「ブッ切りことば」にご用心！

あなたのだんな様、お茶が飲みたい時、なんと言いますか？
「お〜い、お茶」でしょうか。
こういうだんな様は、「ふろ」「めし」なのかしら。
小学校の授業参観で、こんな場面に遭遇しました。

「先生、トイレ」と言う子どもに対して「先生はトイレではありません」と言っています。

これは、ダイが二年生の時のクラス参観で目にした光景です。思わず、くすっと笑ってしまったのですが、先生はいたってまじめ顔。「ひゃっ、笑うところじゃなかった」。あわてて笑いを引っ込めました（汗）。

その後、中学校のスクールカウンセラーをしている人とお話しする機会がありました。

「今、子どもに『ブッ切りことば』が増えてるの」と言います。

「ブッ切りことば」？？　それってなんだろう。不思議に思って尋ねると、たとえばこうだそうです。

「お休みの日は、なにしてたの？」

「別に」

「このゲーム、いくらした？」

「さあ」

こんなふうに、すべてをブッ切りのことばで終わらせようとするのだとか。これでは会話が続かないばかりか、相手に対して失礼です。

「ブッ切りのことばですませようとするのは、家族にそういう人がいるからじゃないかしら」と彼女は言います。

「ふろ、めし、お〜いお茶。これですんだら、ラクだもの」

確かに。

「親もね、ブッ切りことばになっていることが多いと思うの。お父さんだけじゃなくて、ね。『お母さん、今晩のおかずは？』って聞かれたら、なんと答えてる？」

「……えっと、『ギョウザ』って。あっ、わたしもブッ切りことばだ」

「でしょう？　子どもはそれを聞いているのよ。『今日のおかずはギョウザだよ』が正しい」

あっちゃー、です。私もしっかり「ブツ切りことば」常習犯でした。

子どもは親の背を見て育つ、と言います。

食卓で「しょうゆ」と言っているのが、ノンとダイにうつっていませんように！

意味の通る「文章」で

とある落語家さんが高校で寄席をしたそうです。終わって校門を出ようとした時、女の子が立っているのに気づきました。

「なにしてるの？」

「別に」

「落語、おもしろかった？」

「ビミョー」

この落語家さん、微妙な気分だったそうです。

「ブツ切りことば」、本当はどう言ったらいいのでしょう。

トイレの会話で考えてみましょう。

「先生、トイレに行っていいですか」と言っています。これは筋が通っていますよね。「先生=トイレ」になっていません。これなら受ける側も「はい、いいですよ」と気持ちよく返答できるのではないでしょうか。

　ダイのクラスでは先生が、「私はトイレではありません」と促し、しっかり言い直させていました。そして言い直したあとでは、希望を聞き入れていました。

「ブツ切りことば」を、子どもはなにげなく口にしているのかもしれません。でも、あなたが言われたらいかがでしょう。不愉快になるのではないでしょうか。そのままだと、子どもは気づかぬうちに敵をつくってしまうかもしれません。

では、家庭ではどう対応したらいいでしょう。先生のように言い直させる、というのも一つの方法です。もちろん、私自身「ギョウザ」「しょうゆ」ではなく、意味の通る文章で話さなくっちゃ、です。

前出のカウンセラーさんは、こんな作戦に出たそうです。

「今度『別に』とか『さあ』とだけ答えたら、一曲歌うこと」(笑)

すると、これが効果テキメン。はじめのうちは「え～！」と拒否反応を示していた生徒さんも、歌うよりはマシと思ったのでしょうか。こんなふうに変わったそうです。

「別に……じゃなくて、休みの日は昼まで寝てた」

「さあ……あっ！　ゲームは一万円ちょっと。小遣い貯めたんだよ、俺」

「へえ～、小遣い貯めたのか、やるね」

このように、会話が続くようになったそうです。これならお互い気持ちよく話が進みます。そして、好感をもてます。

笑顔になる仕組みをつくるなんて、さすがはカウンセラーさん。せっかくですから、楽しく身につく方法をまねさせてもらうのもいいかもしれません。
さて、その前に。私も歌にみがきを……ではなく、ブツ切りことばに気をつけよっと。

Point!

意味の通る「文章」で

- ブツ切りことばにご用心
- 家族とも意味の通る「文章」で
- 笑顔になる仕組みをつくる

思いやりが上手に伝わるちょっとしたことば

「自分目線」を「相手目線」にチェンジ！

「自分目線」じゃ伝わらない

幼稚園に勤めていた頃の失敗談です。

園の近くに公園があり、時々遊びに出かけました。そんな時は園児たちに、公園の外に出て行かないよう約束してから遊びに放します。

「先生から見えるところで遊んでね」と。

ところが、これがいけませんでした。

せっかくの広い公園なのに、園児たちが遊びに広がらないのです。

「先生から見えるところで遊んでね」

こう言われたみんなは、「先生から見えるかどうか」が気になるのでしょう。

ちょっと行っては「先生、見える?」、また数歩歩いては「先生、ここは?」を繰り返します。

なんて素直なんでしょう。いえいえ、「なんてこった」です。

ことばって難しいな、と思ったのと同時に、ことばっておもしろいなとも感じました。

このことがあってから、「自分目線」と「相手目線」を考えるようになりました。


目線に絡めて。チャイルドシート講習会で、こんな話を聞きました。

「子どもは、ものの大きさを大人の三倍に感じます。幅も高さも奥行きもです。大人にとっての車内は、どうってことのない広さかもしれません。ですが、子どもはコンテナくらいに感じているかもしれない。そんな中にぽつんと置かれたらどうですか？　不安ですよね。ですから、チャイルドシートで、しっかり安定させてあげてください」

三倍に見えるとすればです。私たち大人だって、子どもから見たら、とても大きく見えるはずです。三倍なら、私は子どもにとって四八〇センチです。かなりな大きさです。ぬりかべみたいです。

だから子どもは、お母さんの「高い高い」に大興奮なのかな。

だからお父さんの肩車に大はしゃぎなのかな。

そして、そんなわたしたちは、立っているだけで威圧感たっぷりかもしれません。そのうえ、頭上からがんがん怒られたら、やっぱりかなりキョーフでしょう。

「話す時は子どもの目線で」と言われます。それは、「目を合わせる」ほかに、しゃがむこと

で威圧感をなくすという意味も含まれているのかもしれないな。講師さんの話を聞きながら、
そんなことを思いました。

「自分目線」と「相手目線」。

自分の言い方は伝わっているか。

自分は人からどう見えるか、どう思われるか。

「相手目線」を意識することが、人づきあいや子育てをうまく行う鍵になりそうです。

「相手目線」でコミュニケーション上手

「先生から見えるところで遊んでね」

そう言われて「ここは見える?」を繰り返していた園児たち。

「そうか。先生から見えるかどうかは、先生に確かめないとわからないよね。

ううむ、それならどう言えばいい?」

頭をふりしぼって、あーでもない、こーでもない。

そして、こう変えてみました。

「先生のことが見えるところで遊んでね」

「先生から」を「先生のことが」に変えました。

「から」と「のことが」だけの違いです。

生後一日目の赤ちゃんと、三日目の赤ちゃんくらいの差かもしれません。ですが、これが大違いでした。「は〜い！」と元気にかけだして、あっという間にクモの子を散らすような状態になったのです。

「先生のことが見えるところ」ですから、見えるかどうかは自分で確かめられます。見えていたら「ここで遊んでいてもいいな」と。見えなくなったら「あ、はなれすぎちゃった」と戻ってくればいいだけです。

「自分目線」と「相手目線」。

これは人づきあいのキーでもあります。

自分目線で生きている人には、押しの強さを感じます。

「話したいことがあるの。今から聞いて」

「ヒマだからランチにつきあって」

こんな人の年賀状は、「こういうことがありました」という自分側の報告がほとんどです。

相手目線で考えられる人には、思いやりを感じます。

「話したいことがあるの。いつだったらいい？」

「あなたとランチしたいな。都合はどう？」

年賀状にも「元気？」「お体大切に」といった、相手を気遣うひと言が添えられています。

そうそう、「自分目線」でこんなことがありました。ノンが小さい時、こっそり新聞を取りに行こうとして見つかり、泣かれたことがあります。

ドアの外から「すぐ行くから」といくら言っても泣きやみません。「あっ」と思って「相手目線」のひと言に切り替えました。

「すぐ来るから」

すると「うん」とお返事。ほんの五秒ですが、しっかり待っていてくれました。

人づきあいや子育てに行き詰まったら、「相手目線」を意識してみてください。きっといい方向にベクトルが向かい出しますよ。

Point!

「相手目線」で コミュニケーション上手

- 「自分目線」と「相手目線」
- 「自分目線」では伝わらない
- 思いやりが伝わる「相手目線」

ぱっと決められない子どもがさくさく決められることば

「どれにする?」を「○○と○○、どれにする?」にチェンジ!

どれにもできない、「どれにする?」

あなたのお子さんは、なにかを選ぶ時、ぱっと決められるタイプですか?

それとも時間がかかるタイプですか。

ノンとダイは両極端です。

ダイは見た瞬間決めますが、ノンは五分、十分とかかるタイプ。ですので、ダイも私も待ちくたびれます。

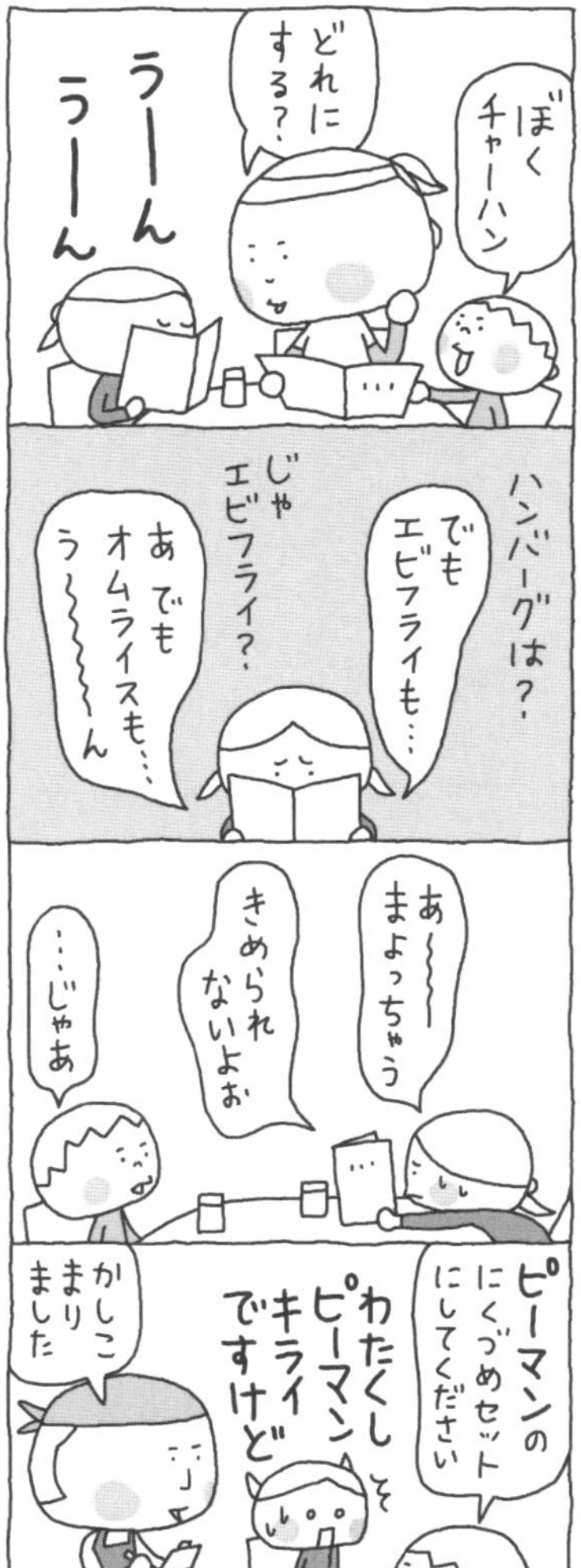

「どれにしようかな～」と延々悩むのがノンです。

「じゃあ、好きなハンバーグにしたら？」

「う～ん、えびフライもすてがたい」

「なら、えびフライでいいんじゃない？」

「でも、オムライスも気になる～」

迷っている間に、あとから入店した人の料理が運ばれてきた、なんてこともあります。

図書館で借りる本を決めるのも、スーパーでおやつを買うのも同じです。一度手にしたせんべいを「やっぱ、やめた」と戻して、ビスケットに代えて、また戻し。

「もう行くよ～」と声をかけると「あわわ、まってまって」とあたふたします。その間、ダイの手の中では、チョコがとろけてきています。


なかなか決められないのは、悪いことではありません。裏を返せば、慎重ということ。

ただ、時間に余裕がない時は困ります。朝の準備や朝食が、その最たるものかもしれません。

ごはんになにを乗せて食べるか。納豆なのか、目玉焼きなのか。それになにをかけるのか。しょうゆに塩、マヨネーズ、ケチャップ、ソース。

世の中には選ぶことがたくさんあります。そのひとつひとつに立ち止まっていたら、地球が三周半くらいしそうです。

では、決めやすくする工夫ってあるのでしょうか。

「○○と○○、どれにする？」で決まりっ

ものごとをぱっと決められないノン。

「なかなか決まらないのって、どんな感じ？」
「困る」という返事が帰ってくると思いきや、なんて答えたと思います？
「楽しい」ですと。女だねぇ。
どうやら困っているのは、つきあわされるまわりの人間だけのよう（笑）。
時間に余裕がある時は、好きにさせておいて、と。
では、さっと選んでほしい時に、決めやすくする工夫はあるのでしょうか。

「和食と洋食、どっちがいい？」

「カレーライスとハンバーグなら、どっち？」

選択肢を見せて、その中から選ばせています。

たくさんの中から一つを選ぶのは大変でも、二つか三つの中からならば、選びやすいと思いませんか。

外食する時も、お店に入る前に同じように聞いておくと、迷わず注文できるようになりました。

「お魚にする？　お肉にする？」

「お肉」

「じゃあ、ハンバーグとステーキと焼き肉なら？」

「ハンバーグ」

「和風と洋風、どっち？」

「おしょうゆ味の」

これもすべて選択式です。

なかなか決められないのであれば、的を絞ってあげるといいようです。

あなたも、カフェに立ち寄ると「あれもこれも」と心が乱れませんか。ティラミスラテにカプチーノ、チャイもあればスムージーまで。

見ると迷うから、先に自分に聞いておきます。

「あたたかいのと、冷たいの、どっちにしよう？」

「甘いの、苦いの、さてどっち？」

「さっぱり系？　こってり系？」

そうやって、だいたいの見当をつけておくと、結構するりと決まります。

本屋さんでは、もっと明快な決めさせ方をしてくれます。

「なにか読みたいな、なにがいいかな」くらいの気持ちで入店すると、私もなかなか決められません。目移りし放題です。

そんな時に便利なのが、ランキングコーナーや本のＰＯＰです。

「今週の売れ筋ランキング」

「店員○○の一押し！」

「感動の涙が止まらない」

「これ」と決めたものがない場合、なにか指針があるとありがたいです。選びやすいです。

決めかねている子どもには「これとこれ、どれにする?」と選択肢を見せる。

「これがオススメ」的な指針を示す。

すると案外、簡単に決まりますよ。


Point!

「これとこれ、どれにする?」

・決めてあげるより、決めさせる
・選択肢があるといい
・選択肢は二つか三つ
・「これがオススメ」的な指針を示す

子どもの思いを無限に引き出すことば

「限定質問」のあとは「拡大質問」にチェンジ！

「限定質問」でふところに入る

「はい」や「いいえ」で答えられる質問。
「どっちがいい？」「この中のどれにする？」と選ばせる質問。
これらを限定質問といいます。答えがある程度限られるからです。
これは前出のように、なにかを選ぶ際に使うことができます。
ほかにもこんな時に使うと便利です。

朝から晩までよ～くしゃべる子もいますが（ダイです）、口数の少ない子もいます。しゃべる子は、放っておいてもしゃべります。夕べ見た夢の話から、夫婦げんかの理由まで。私も幼稚園勤務時代、ずいぶん楽しませてもらったものです。ちなみに、夫婦げんかの理由の第一位は、「パパがよっぱらってかえってきたこと」でした。

ですが、あまり話さない子もいます。こちらの問いかけにかすかに首をふる程度、という子もいます。

そんな時は、限定質問を使います。

「はい」や「いいえ」で答えられる、または、示された中から選ぶ質問は答えやすいからです。よ～くしゃべる子でも、時には静かに押し黙ることがあります。誰かとケンカしたとか、おもしろくないことがあった時などに。ダイがそうなると「静かだなー」と嬉しくなります（失礼）。

ですが、やはりちょっと心配でもあります。

こんな時に「どうしたの？」と聞いても、なかなか話してくれません。無言のままか「別に……」とはぐらかされることが多いです。

「どうしたの？」は「はい」や「いいえ」で答えられず、選択肢もありません。自分で考えて話さなければいけません。だから答えにくいのでしょう。

こんな時にも、限定質問が力を発揮してくれます。

「ダイ、なにかあったの？」

「……うん」

「ケンカでもした？」

「……ううん、ちがう」

見ると目に涙がたまっています。

「じゃあどうしたの」

「足……」

「え、足？」

「足がしびれてうごけない。お母さん、たすけてぇ」

口と心の準備体操になるのかな。限定質問をいくつか重ねると、自分から話し出してくれることがあります。

はじめは限定の質問を投げかける。

すると、するっと相手のふところに入れます。

「拡大質問」でココロ、引き出す

久しぶりに会った人に、「最近どう？」と言われて困ったことはありませんか。

そう言われてもな〜、なんと答えればいいのかな〜、と。

ですが、同じ答えるにしても、先に限定質問を入れてもらえると気軽に返事ができます。

「元気だった？」「今、なにしてるの？」と。

そのあとなら「そういえば最近ね」と続けやすい。これが限定質問のよさです。

ただ、もっと広がりのある答えがほしい場合は、こんな質問を使います。

「お弁当食べながら、なに話したの？」
「さっちゃんと、ママのことはなしたよ」
「どんな？」
この質問の答えは無限です。「ママがかわいいってこと」かもしれないし（希望的観測）、「政治経済について」かもしれない（↑これはないか）。

このように答えが幅広いもの、これを「拡大質問」といいます。
拡大質問で問いかけると、さまざまな答えが出てきます。

子どもが「なんで？」「どうして？」を繰り返す頃。どう答えていいかわからない問いに、私は拡大質問で切り返していました。「なんでかな？」「どうしてだと思う？」と。すると子どもなりに考えて、おもしろいことを言うのでした。

ある日、ノンが私の眉毛をむぎゅっとつかんで「なんで？」と言います。眉毛を「なんで？」と聞かれてもなんと言ったらいいのでしょう。答えようがなかったので「なんでかな？」と返しました。

すると「まゆげは、ケムシ。おかおにふたつ、あそびにきたよ」。そんなかわいらしいことを言いました。拡大質問の答えって、本当に幅が広いです。なにが出てくるかわかりません。

私が答えていたら、「目にゴミが入らないように」が関の山です。

答えなきゃと思うと苦しくなるけれど、拡大質問を覚えてからは、楽しいひとときとなりました。

拡大質問の答えは無限です。

子どもの思いや気持ちを引き出すには、これを投げかけると効果的です。

「新しい先生、どうだった？」

「なにしようか？」

「夢はなあに？」

無限なだけに、なかなか答えられないかもしれません。

そんな時は、限定質問を入れてみる、「ゆっくり考えていいよ」と伝えて待つ、などしてみてください。

きっとその子ならではの、オリジナルな世界がのぞけますよ。

Point!

「拡大質問」でココロ、引き出す

- 限定質問は答えやすい
- 限定質問は、心と口の準備体操
- 拡大質問は答えが無限
- 「なんで？」には「なんでかな？」

むくむくっ！子どもの夢が広がることば

「反感ことば」を「共感ことば」にチェンジ！

「反感ことば」で話す気ダウン

子どもと話していると、「それは無理でしょう」という話がたくさん出てきます。

「くもにのって、おさとうかけて、わたあめにしてたべる」
「うちゅうマンションにすんで、いぬを百ぴきかう」
「こんどの日よう、ハワイにいこう。ひがえりでいいから」

おいおい。どう考えたってそれは無理でしょう。そんな時、あなたはどう返答しますか。

「でも」「しかし」で答えています。
「でも」のあとには、なにが続きますか。
「しかし」のあとでは、どうですか。
「できるはずがない」というニュアンスの言葉が並びます。
「ばかばかしい」といった感じでもあります。
子どもの夢に、いえ人生に、親が制限をつけています。

それって、どうなんでしょう。

「あきらちゃん・ラーメンちゃん」という二人組がいます。全国各地、そして海外でも「あそびうたコンサート」を開催し、人気を博しています。その「あきらちゃん」こと、たかはしあきらさんが言っていたことが忘れられません。

「人と話している時にね、相手のたったひと言で、気分がずどーんと落ちることがあるんだ。そのひと言ってなんだと思う？」

「どじかな。まぬけかな」。私は頭をめぐらせました（↑低レベル）。

「それはね、『はっ？』と『でっ？』。それ言われると話す気、なくなる」

「ホントにひと言だったんだ」。妙なところに感心して、心にしみ通っていきました。

「でも」「しかし」「は？」「じゃなくて」「そうは言っても」「けどさ」「そんなこと言ってないで」「いや」「と言うか」「だめだめ」。

私はこれを「反感ことば」と言っています。

これらはどれも、相手の言葉を受けての返球です。それも反感ことばの返球です。あなたならいかがですか？　常に反感ことばで返されると。

私なら「あ、意見をくつがえされるな」と感じます。「また反対されるな」と身構えます。いちいち反論されると、気持ちを立て直すのに疲れてしまいます。そして、だんだん話す気力がなくなってきます。

あきらさんが「はっ？」「でっ？」を嫌うのも、きっと同じ理由からです。


あなたは反感ことばで返球していませんか。

それが子どもの元気を奪い、夢を語れない子どもにしているかもしれません。

「共感ことば」で子どもいきいき

テレビも電話も電球も、発明によって生まれました。

今では当たり前のように使われているこれらのものも、なかった頃には「ありえない」ものだったはずです。

発明の途中では、「なに言ってんの？　夢みたいなこと言わないで」と思われたかもしれません。きっと人に話すたびに「でも」「しかし」で打ち消されたのではないでしょうか。それでも彼らは実現を信じて夢に向かい、とうとうそれを創り出しました。

では、彼らが「でも」「しかし」ではなく、こうやって聞いてもらえたらどうだったでしょう。

子どもが夢を語る時も、こんなふうに聞くとどうなるでしょう。

「それから？」と聞いています。

「もっと聞かせて」と促しています。

そのひと言に誘われるように、子どもはいきいきと夢を語っています。

私が大学受験を考えている時でした。

小さい頃から「幼稚園の先生になる」と決めていた私は当然、その資格が取れる大学を希望しました。ですが、父から言われたのです。

「しかしな、幼稚園の先生の給料なんて、たかがしれてるぞ。学校の先生になりなさい」

十歳上の親戚にも言われました。

「けどさ、職業なんていろいろだぞ。それだけって、今決めなくていいんじゃないの」

私は、彼らに対して心を閉ざしました。

「この人たちはわかってくれない。言ってもムダ」

けれど、ありがたいことに母は違いました。

「そうか、そう思ってるんだ。どんな先生になりたいの？」

そうやって、私の想いを引き出してくれたのです。それが、どれほど嬉しかったかわかりません。

「そうか、そう思ってるんだね」「それから？」「なるほど」「おもしろそうだね」。これらは共感ことばです。

雲のわたあめなんて、素敵だと思いませんか。

宇宙マンション、現実になる日が来るかもしれません。

ハワイに日帰りできるような道具を、子どもが創ってくれるかもしれません。

子どもの心を開きましょう。

子どもの気持ちを解放させましょう。

きっと大きく想像の翼を広げ、未来へ羽ばたく力となることでしょう。

Point!

「共感ことば」で夢が広がる

- 反感ことばの返球が、夢を語れない子をつくる
- 「それから？」が心を開く
- 聞ける人が好かれる人
- 人はみな、共感ことばを求めている

Chapter

7

「あなたが大切！」

子どもが自信と誇りをもてることば

人の喜びが自分のヨロコビになることば

「ごめんね」を「ありがとう」にチェンジ！

「ごめんね」で意気消沈

「ごめんね」

あなたは、このことばをどんな時に使いますか？

子どもが新聞を取ってきてくれた時。

肩もみをしてくれた時。

それからお母さんのお出かけを、誰かと待っていてくれた時など。

謝る以外にも、さまざまな場面で登場するのではないでしょうか。

このお母さんも「ごめんね」と言っています。
子どもに対してなら「ごめんね」。
大人に対してなら「すみません」。
私はちょっとした好意を受けた時や、頼みごとをした時に使います。「申し訳ない」「負担をかける（かけた）」との思いからです。

知人に「『ごめんね』ばっかり言っている自分が嫌になる」という女性がいます。その女性は、親御さんに対して言うのだそうです。

彼女は仕事に出る際、ご自分の親御さんに小さな娘さんを預けて出勤します。その際に「『ごめんね』『いつもごめんね』って、『ごめんね』ばっかり言っている」とのこと。それで気が滅入ってくるのだそうです。

「ごめんね」は、本来、謝罪に使われることばです。

悪いこと、まちがい、失敗などをした際、自分の非を認め、謝る。

それが「ごめんね」の本来の用途です。

試しに「ごめんね」と言ってみてください。

その時、あなたの表情はどうですか。姿勢はどうですか。口調はどうですか。

きっと背中を丸め、すまなそうな顔をしているはずです。

表情や姿勢は心に影響します。悲しい顔をすると悲しくなり、笑顔をつくると楽しくなってきます。

「ごめんね」を言って気持ちがふさぐのは、きっとそのせいです。

それに思うのです。これらは「ごめんね」の出番じゃないと。謝ることではありません。悪いことでも、失敗でもありません。

それに預けられる娘さんは、どんな気持ちで「ごめんね」を聞いているのでしょう。自分を預けることを謝られる娘さんは。私がその立場なら抵抗を感じるかもしれません。自分が「ごめんねの種」になっているようで。

では、なにかをしてもらう時、してもらった時、「ごめんね」に変わることばはなんでしょう。

「ありがとう」で花が咲く

こんな場面を想像してください。

あなたは銀行にやって来ました。中に入ろうと扉に手をかけました。銀行の扉は重いですよね。力をこめて「よっこらしょ」と開けました。

その際、前から来た人に気づきます。見ると腰の曲がったおばあちゃんです。きっと力も弱いに違いありません。そこであなたは、その重い扉を押さえたまま待っていました。

さあ、その時、おばあちゃんになんと言ってもらえたら嬉しいでしょう。

「ありがとう」と言われました。
そう言われたら、どんな気持ちになりますか。
それを言うおばあちゃんは、どんな表情でしょうか。
そして、「ありがとう」を受け取るあなたの顔はいかがですか。

「ありがとう」と「ごめんね」「すみません」。これらはどれも、同じような場面で使います。

扉を押さえて待ってくれた人に、私は「すみません」と言うことがあります。ですが、言われる側になってみるとどうでしょう。どちらを言われたら「お役に立ててよかったな♪」と思うでしょう。晴れ晴れした気分になるでしょう。

「ありがとう」は、感謝の気持ちから出ることばです。

「助かった」「嬉しいな」という時に使います。

子どもが新聞を取ってきたこと、肩もみをしたこと、帰りを待っていたこと……。

これらは子どもにとって、誇らしいことかもしれません。胸を張れることかもしれません。

大好きなお母さんを喜ばせたくてやっているのかもしれません。その気持ちに応えることばは「ごめんね」と「ありがとう」のどちらでしょうか。


人は皆、誰かを喜ばせることが大好きです。

人から感謝されることで、生きている意義を感じます。

自分は価値ある人間だ、と確認できます。

そう考えると、やってもらう方もあげる方も、お互い様なのかもしれません。ならば「あなたがいてくれてよかった」「助かった」を伝えることばを選びたい。

「ありがとう」

自分のためにも相手のためにも、このひと言をもっと使ってみませんか。そのことばの周りには、きっと笑顔の花が広がります。

そう、子どもを預けて働く彼女も、ね。

Point!

「ありがとう」で花が咲く

- 「ごめんね」は謝罪のことば
- 「ありがとう」は感謝のことば
- 表情や姿勢は心に影響する
- やって「もらう」も「あげる」も、お互い様

ど真ん中！子どもの熱意に応えることば

「これでいい」を「これがいい」にチェンジ！

「これでいい」は相手に失礼？

「デザートにプリンとゼリー、どちらがよろしいですか？」

そう尋ねられたら、あなたはどう答えるでしょうか。

私は「どっちも！」と答えたことがあります（えへ）。

が、ここではどちらか一つを選ぶとして、です。

こんなふうでしょうか。

「ごんたろでいい」と言っています。
これ、文法上はなんの問題もありません。
ただ、ごんたろはどんな気持ちでしょう（ごんたろに聞いたわけではありませんが）。
「ま、そっちでいいや」と、軽くあしらわれた気がするのではないでしょうか。
「どっちでもいいんだけどさ」という感じを受けるのではないでしょうか。
また、テキトーな感じの「で」で答えられた子どもは、どう感じるでしょう。

言われたことを、すんなり受け取れるでしょうか。

たとえば、あなたが高校球児で、ドラフトの指名を待っているとします。
その時に「君でいい」と言われたら？
ドラフト指名はないとしても、たとえば子どものクラス役員さんに任命されるとして。
その時に「あなたでいい」と言われたら？

あなたなら、喜んで話しを受けられますか？
なんだかすっきりしませんよね。
「とりあえず、あなたでがまんしておくよ」と聞こえます。
「『君でいい』『あなたでいい』なら、ほかの人でもいいの？」と思います。
なんだかこれって、失礼ではないでしょうか。
軽い印象、投げやりな印象を受けはしませんか。

選ばれる側にも気持ちがあります。
答えを待つ際のどきどきした気持ち。

なにかを作った気持ち。
人を喜ばせようとした気持ち。
選ばれる側は真剣です。
いろんな思いが胸をよぎっています。それがたとえ、ごんたろでも（か?）。
それを思えば、こちらもしっかり応えなければ、と気が引き締まります。
だから「これでいい」とは、安易に言えません。
では、真剣な気持ちに応えるなら、どう言えばいいのでしょう。

「これがいい」がいい

「これでいい」が軽いなら、どう言われれば嬉しいでしょう。
ごんたろを描いた子どもであれば。
ドラフト指名を待つ高校球児なら。
クラス役員に選ばれるなら。
プリンを作った人の気持ちに立つなら。
こんな言い方ならいかがでしょう。

これなら、ごんたろも救われるのではないでしょうか。きっと「しっかり選んでくれた」と喜ぶことでしょう（か?）。

ドラフト指名なら「君がいい」。
役員選出なら「あなたがいい」。
デザートを選ぶなら「プリンがいい」。

これで熱い気持ちが伝わってきます。

「君しかいないんだ」

「このクラスには、あなたが必要なの」

「だからぜひともプリンをください」

そんな感じがして、悪い気はしないでしょう?

そのためには、「これがいい」です。


ある日、料理をしていると、ノンが鏡を見ながら聞きました。

「おかあさん、うさちゃん結びとポニーテール、どっちがいい?」

私は料理の手を止めず、顔を向けることもせず、なにげなく答えました。

「うさちゃんでいいんじゃない?」

するとノンたら、ものすごい剣幕。

「ちゃんと考えて! うさちゃん結びとポニーテール、どっちがにあうでそーか!?」

ノン、仁王立ちです。射るような目つきです。その勢いに押されて、今度は真剣に答えました。

「えっと……。うん! やっぱり今日は、うさちゃん結びがいい!」

するとノンの体も顔も、急にふんにゃりゆるみました。にま〜っとして「あたしも、そっちがいいと思ってた」（↑なら聞くな）。

真剣な気持ちには、真剣に応えなくっちゃ。

そう悟った次第です、はい。

Point!

「これがいい」がいい

- 「これでいい」は「どっちでもいい」感
- 選ばれる側にも気持ちがある
- 「これがいい」で「しっかり選んでくれた」感
- 真剣な気持ちには、真剣に応える

子どもが「役立つ嬉しさ」にめざめることば

「あなたメッセージ」を「わたしメッセージ」にチェンジ！

「あなたメッセージ」は評価のにおい

子どもが片付けをしたら……。
スーパーで買ってきた袋を運んでくれたら……。
洋服のボタンを自力でかけ終えたら……。
あなたはどんなことばをかけますか？
こんな感じでしょうか。

「えらいね」と言っています。

子どもが成功したら、なにかを達成したら、あなたはどんなことばをかけているでしょう。

「がんばったね」「すごい！」などでしょうか。

失敗した時、予想が外れた時は、どうでしょう。

「だめね～」「まったく……」などでしょうか。

これらの共通点にお気づきですか。

それは、どれも主語が「あなた」になることです。「（あなたは）がんばったね」「（あなたは）だめね」というように。これは、普通の言い方です。なんの問題もありません。ただ、言われた本人は嫌がることもあるようです。

なぜでしょうか？

それは、「あなたは〜」という言い方には、評価のにおいがするからです。

その昔、図工で描いた絵にハンコをもらいませんでしたか？「たいへんよくできました」「もっとがんばりましょう」というアレです。あの評価ハンコ、まさしく主語が「あなたは」です。そして、人は評価を受けることを、必ずしも快く感じないようです。

評価は、たいてい上の者が下の者にします。先生が生徒に、上司が部下に、えんま大王がうそつき人間に。ですから、無意識に上下関係を感じ取ってしまうのかもしれません。

保健指導をしていた女性が、こんなことを話してくれました。

彼女の仕事は、お客様の健康管理です。相手の体調を聞き、アドバイスをするのが仕事です。その彼女が、ある日、アンケートを実施しました。そこにはいくつかの項目のほか、「ご自由にお書きください」という欄を設けたそうです。

すると「『がんばりましたね』と言われて、不愉快だった」との声が、何人かから寄せられたとか。
そう書いてきたのはみな、年輩の男性だったというから興味深いです。
きっとこの男性たちも、そこに評価のにおいを感じ取ったのではないでしょうか。

なにげなく発している「あなたメッセージ」。
それが相手を不快にさせているかもしれない、そう気づかされたエピソードでした。

気持ちが伝わる「わたしメッセージ」

「あなたは」が主語の「あなたメッセージ」。
そこには、評価のニュアンスがある。嫌がられることもある。
とすれば、です。
どう言ったらいいのでしょう。
自ら片付けをした子に。
重い買い物袋を運んでくれた子に。
最後まであきらめずにボタンをかけられた子に。

「嬉しいなぁ」「助かるよ」と言っています。

ほかにもいろいろバリエーションがあります。

「気持ちいいな」

「感心、感心」

「ありがとう」

鋭い方なら、これらの共通点にお気づきのことでしょう。

これらはお祭しの通り、主語が「わたし」です。「(わたしは)嬉しいな」「(わたしは)助かるよ」です。

「わたしメッセージ」では、自分が感じたこと、感想など、「気持ち」を伝えることになります。

「あなたはきれいだね」と言われたら、「いえ、そんなことないです」と打ち消せます。反論できます。でも、「わたしは、あなたをきれいだと思うよ」と言われたら?「はあ、そうですか」となりませんか。その人がそう思っているんだから、そうなんだろうなあと。

「わたしメッセージ」はこんなふうに、すんなりことばを受け取ってもらえるという特徴があります。

片付けた子には「(わたしは)気持ちいいな」と。

買い物袋を運んでくれたら「(わたしは)助かったー」と。

ボタンをかけたら「よっ、日本一!」ではなくて「(わたしは)感激~」と。

人は、誰かの喜びが力になります。

自分のしたことで誰かが喜んでくれること、笑顔になること、感謝されること。

それが嬉しくて「よし、またがんばろう」と思えます。
それが大好きなお母さんだったら、なおさらのこと！
あなたの気持ちを「わたしメッセージ」に乗せましょう。
すると子どもは「ガソリン満タン！」になりますよ。

Point!

気持ちが伝わる「わたしメッセージ」

・あなたメッセージには評価のにおい
・わたしメッセージは「気持ち」の表れ
・わたしメッセージは受け取りやすい
・喜ばれると、また喜ばせたくなる

「自分っていいな」子どもの自信がみなぎることば

「プラスだけどマイナス」を「マイナスだけどプラス」にチェンジ！

マイナスで終わると気持ちが落ちる

産地直送野菜のお店に行きました。

農家の方が、早起きして収穫したばかりの野菜が並んでいます。ナスにトマトにとうもろこし。

どれもツヤツヤでおいしそう。生つばごっくんです。

「どれにしようかな」

迷っていると、ちょうど野菜を補充しに来た農家のおばさんが、声をかけてくれました。

「うちのきゅうりは元気がいいよ、曲がってるけどな」と言われました。

「気になりませんよ」と言うと、おばさんは続けます。

「このにんじんも精がつくよ、見てくれは悪いけども」

「いいんじゃないですか」

「こっちのキャベツは煮ると甘みが出るよ。たまに虫が入ってるけど」

「虫はちょっと……」

農家のおばさん、正直です。というか、正直すぎます。決して売りつけようとしない、素朴さがただよっています。けれど、だんだん気疲れし、結局その場を離れました。

「なぜ疲れたんだろう」

その会話を思い出して、はたと気づきました。あのおばさん、せっかくプラス情報を伝えてくれているのに、最後がマイナスで終わっています。

「うちのきゅうりは元気がいい（＋）」のに「曲がってる（－）」。

「にんじんは精がつく（＋）」のに「見てくれが悪い（－）」。

「キャベツは煮ると甘みが出る（＋）」のに「虫が入ってる（－）」と。

人は最後に提示された情報や、判断の直前に言われたことばが心に残るそうです。

「このお洋服、とってもいいんです。色も素敵で、素材も扱いやすい。かくかくしかじか、その他諸々完璧です。ただ、デザインだけが今イチで」

そう言われたら、あなたは購入する気になりますか。「なら、いらない」と思いませんか。

それもこの、「最後の印象が強まる」というカラクリのせいです。

話がマイナスで終わると、気持ちまで滅入るのです。

それなのに、同じようなことを子どもに言うことがありませんか。私はあります。

「計算は得意だけど（＋）、漢字がねえ……（－）」

「ジャガイモは食べたけど（＋）、ブロッコリーが残ってるよ（－）」

こんな時、ダイはふくれっつらになっています。

プラスで終わると気持ちが上向く

ダイは漢字が大の苦手。

一年生の「花」「川」「町」、二年生の「兄」「店」「台」あたりまではよかったのです。が、三年生の「湖」「整」「館」あたりで、もうお手上げ状態。「先生のバカ～」と八つ当たりして、漢字の宿題に大泣きする始末（母げっそり）。

そんな時、私は、言ってしまいます。

「計算はできるけど、漢字がねえ……」

ダイの中には、最後に言われた「漢字がねえ……」が強く残るのでしょう。

「ぶう～」とふくれます。

では、どう言えばいいのでしょうか。農家のおばさんでシミュレーションをしましょう。

「うちのきゅうりは曲がってるけど、元気がいいよ」となっています。マイナス情報のあとにプラス情報が来ています。終わりがプラスになっています。内容は同じでも、順番が変わると気持ちも変わりませんか。終わりが明るいと、その余韻で気分が上向きませんか。

「このにんじんも見てくれは悪いけど、精がつくよ」

「このキャベツはたまに虫が入ってるけど、煮ると甘みが出るよ」

これなら、即「買い」です。

こう考えると、泣きながらも漢字を書いているダイには、こう言ってやりたい。

「漢字は苦手かもしれないけど、計算は得意だよね」

ジャガイモが食べられたら、

「ブロッコリーは残ってるけど、ジャガイモは食べられたね」

こうなると、上向き気分でいられます。

「できる」ことがあとに来るので、それが耳に、心に、残ります。それが自信となって、苦手なものにも挑戦しようとするかもしれません。

先日、出かけた先で、的当て大会がありました。1から9までのパネルがあり、力いっぱいボールを当てると、パネルが倒れる仕組みです。

二年生くらいでしょうか、女の子がボールを投げました。力が弱くて、せっかく当たったパネルが倒れません。見ているみんなが「惜しい！」「あ〜、残念」と口々に言いました。女の子の表情も「あ〜あ」といった感じです。

その時、すかさず司会者が言いました。

「でもコントロールはよかったよ」
そのことばを聞いた瞬間、女の子の顔は、ぱあっと明るくなりました。まわりの大人も、「それもそうだね」といった晴れやかな表情になりました。

プラスで終える。
これで気分が上向きます。

Point!

「マイナスだけどプラス」で気分上向き

- 最後の印象が強まる
- プラスで終わると気分が上がる
- 先にマイナス、あとにプラス
- マイナスで終わったら、プラスを追加

おわりに

お母さんと子どもを笑顔にしたい。

この夢を叶えるため、マイホーム購入をきっかけに、自宅で子育てサロンをスタートさせました。

ここに集まるお母さんたちはみな、おしゃれでいきいきしていて、そしてなにより子育て上手！

たとえば私が「早く」を連呼するような場面で「ゆっくり」と言います。言われた子どもは「ゆっくり」コトを進めるのですが、なぜかうちの子より早い（笑）。

たくさんのお母さんに接していると、そんなことば、魔法の〝ひと言〟に次々出合います。そして自分の子どもで試してみると、これがやっぱりうまくいくのです。

「こんなすごいこと、わたし一人が知っているのはもったいない。そうだ！　これを本にして、みなさんにお伝えしよう。そしたら今度は、日本中の親子を笑顔にできる！」

こうしてわたしの夢の対象は、地域から全国へと広がっていきました。


そんなわたしの想いを受け止めてくださった、学陽書房さん。

わたしのラフ描きを、かめばかむほど味の出るまんがにしてくださった今井久恵さん。

ネタをくださった、親子の集いの場「陽だまりサロン」のお客さまたち。

「とうとうオレもデビューか。カッコよく描いてもらってくれ」と少々勘違いな夫。

「これ、もしや、うちらのこと〜？」と、今井さんのまんがに爆笑していたノンとダイ。

この中の一人でも欠けたら、この本はあなたの手に届きませんでした。心から感謝します。


さて。あなたの魔法の〝ひと言〟はなんですか？

「こう言い変えてみたら、こんなふうに変わった」

「こうしたら、うまくいったよ」

そんなことばがあったら、ぜひ編集部宛のお手紙にてお教えください。あなたのその「たったひと言」が、次の誰かを笑顔にできるかもしれません。それを集めて「魔法の〝ひと言〟」第二弾を出すことが、そして、もっともっと笑顔の親子を増やすことが、わたしの次なる夢です。

その時まで、どうぞお元気で！

See you！

二〇一一年四月

若松亜紀

そっか〜
はは

若松亜紀 Aki Wakamatsu
親子の集いの場「陽だまりサロン」オーナー

秋田県仙北市生まれ。現在、秋田市在住。

子どもの頃から「子どもが大好き！」で、大学卒業後は私立の幼稚園に７年間勤務。

閉園により退職。以後、出産・子育てを経て、2005年に自宅にて子育てサロンをオープン。

サロン運営の傍ら、子育て、コーチング、コミュニケーション関係の講演やセミナー、
エッセイの執筆などを行う。涙あり笑いありの講演、セミナーは、

「先輩ママが語る話は身近」「すぐ役に立つ」「元気がでる！」と好評。

日々「子も親も笑顔に！」をモットーに活動する一姫二太郎の母。

主な著書に『子どもが輝く幸せな子育て』（ほんの木）などがある。


2009年、秋田ロータリークラブ「歯車賞」受賞。

2010年、秋田県秋田地域振興局「元気なふるさと秋田づくり」表彰。

ブログ「陽だまり日記」http://yaplog.jp/hi-damari/

●本書印税のうち10%を、2011年３月11日に発生した東日本大震災への義援金として
寄付させていただきます。


もう怒らない！

これだけで子どもが変わる魔法の“ひと言”

2011年 5 月25日 初版発行
2021年 7 月30日 12刷発行

著者―――――― 若松亜紀《わかまつあき》

デザイン――――― スタジオトラミーケ（笠井亞子、納富 進）
イラスト――――― 今井久恵
発行者―――――― 佐久間重嘉
発行所―――――― 株式会社 学陽書房
東京都千代田区飯田橋 1-9-3 〒102-0072
営業部 TEL03-3261-1111 FAX03-5211-3300
編集部 TEL03-3261-1112 FAX03-5211-3301
http://gakuyo.co.jp/
印刷・製本――― 三省堂印刷

ISBN978-4-313-66055-7 C0037